Problèmes d'Amérique latine

Revue trimestrielle

Revue publiée avec le soutien de
l'Institut Choiseul
pour la Politique internationale et la Géoéconomie
avec le concours
du Centre National du Livre (CNL)

Problèmes d'Amérique latine
28, rue Étienne Marcel
75002 Paris
Tél. : 01 53 34 09 93 ; Fax : 01 53 34 09 94
pal@choiseul-editions.com
Site : www.choiseul-editions.com

Sommaire

Dossier

Mutations des gauches latino-américaines

Coordonné par Gilles Bataillon et Marie-France Prévôt-Schapira

Les gauches latino-américaines,
Gilles BATAILLON 7

Populisme et démocratie en Amérique latine. Notes et réflexions,
Roger BARTRA 11

De la Révolution bolivarienne au socialisme du XXIe siècle.
Héritage prétorien et populisme au Venezuela,
Frédérique LANGUE 27

Battre campagne avec le « président légitime » du Mexique.
Carnet de terrain,
Hélène COMBES 47

Désarticulation du système politique argentin et kirchnerisme,
Ricardo SIDICARO 69

Le « pouvoir citoyen » d'Ortega au Nicaragua,
démocratie participative ou populisme autoritaire ?,
Carlos F. CHAMORRO 89

Le vote de la Constitution bolivienne,
Jean-Pierre LAVAUD 101

La rive gauche de l'Uruguay. De l'arrivée du Frente Amplio
au pouvoir et des difficultés de son gouvernement (2005-2009),
Octavio CORREA et Denis MERKLEN 109

Résumés 131

Resúmenes 135

Abstracts 139

Dossier

MUTATIONS DES GAUCHES LATINO-AMÉRICAINES

Coordonné par Gilles BATAILLON et Marie-France PRÉVÔT-SCHAPIRA

Les gauches latino-américaines

Gilles Bataillon *

Voilà une vingtaine d'années que la plupart des pays d'Amérique latine ont fait l'expérience de l'arrivée au pouvoir de gouvernements de gauche venus des horizons les plus divers. Nul doute que toutes ces expériences témoignent d'un rapport neuf à la politique. Le conflit des opinions est reconnu comme légitime ; le pouvoir est devenu ce que Claude Lefort a nommé « un lieu vide », un espace qu'aucun parti, classe, groupe ethnique ou genre ne peut s'approprier. Les contre-pouvoirs se multiplient. L'alternance n'est pas seulement désirée, elle est possible [1]. Des partis et des groupes sociaux naguère tenus à distance et considérés comme « barbares » accèdent au pouvoir. Qui imaginait au début de la révolution démocratique, il y a maintenant trente ans, qu'un ancien métallurgiste comme Ignacio Lula ou qu'un homme politique revendiquant son identité ayamara tel Evo Morales, deviendraient chefs d'État ? Qui pouvait penser que des femmes seraient nommées à la présidence de la république au Nicaragua puis au Chili ? Qui aurait prédit le jeu décisif joué par les médias sur la scène politique et la nouvelle place faite à l'opinion publique ? C'est dire que la révolution démocratique à l'œuvre dans tous les pays du sous-continent, à l'exception de Cuba, est indissociablement politique et sociale et qu'elle brouille nombre des anciens clivages politiques, sociaux ou encore ethniques.

Le propos de ce numéro est de s'interroger sur les mutations et les paradoxes que révèlent les montées en puissance des gauches latino-américaines auxquelles on assiste depuis vingt ans. Une partie des forces de gauche, au Venezuela, en Bolivie, en Équateur, au Mexique, au Nicaragua et en Argentine, fait le pari de remobiliser certains des schémas d'action et de pensée qui avaient été au cœur des expériences populistes des années

* Gilles Bataillon est directeur d'études à l'EHESS et professeur invité au CIDE à Mexico.

1. On verra sur ce point les développements de Claude Lefort dans *La complication. Retour sur le communisme*, Fayard, 1999 et dans « L'Europe : civilisation urbaine » dans *Le temps présent*, Paris, Belin, 2007.

1930-1960 pour jeter les bases d'un « socialisme du XXIe siècle ». Certains de leurs membres caressent aussi l'espoir de rompre avec quelques règles de l'expérience de la démocratie représentative et de fonder des démocraties où les contre-pouvoirs et le pluralisme seraient réduits à des phénomènes minimalistes et vidés de leur substance.

Réexaminant les analyses consacrées aux expériences des populismes latino-américains du XXe siècle, Roger Bartra souligne les parallèles entre les contextes dans lesquels ceux-ci sont apparus et celui des quinze dernières années où les « néo-populismes » latino-américains ont fleuri. Pour lui les populismes ont été autant de « cultures politiques » qui n'ont pas seulement été l'apanage de Perón, de Cardenas et de leurs partisans, mais qui ont également marqué les sociétés argentine ou mexicaine dans leur ensemble et, ce faisant, peu ou prou la totalité des forces politiques dans ces pays. L'hypothèse qu'il avance mérite incontestablement d'être reprise et appliquée dans des études portant sur les différents pays de l'Alliance bolivarienne. Dans quelle mesure les praxis de Hugo Chavez, de Evo Morales, de Daniel Ortega et de Rafael Correa, de Lopez Obrador, du ménage Kirchner sont-elles en syntonie avec bon nombre de celles de leurs adversaires et de leurs concurrents ? Tous les débats sur les modifications des règles électorales, notamment la remise en cause des interdictions de la réélection immédiate d'un président sortant et de la limitation du nombre des mandats possibles, la volonté manifeste de limiter les contre-pouvoirs indépendants témoignent d'incontestables réticences face à des pratiques d'équilibre de pouvoirs, comme au jeu de la désincorporation du Pouvoir et du Droit. Toute une rhétorique sur l'ennemi intérieur ou l'agression impérialiste s'inscrit aussi dans une perspective où le conflit des opinions, le rappel des droits des minorités sont considérés comme un ferment de dissolution du social et où le leader devient un nouveau point d'appui essentiel à la cohésion sociale.

Frédérique Langue dans des perspectives qui font écho à celles de deux livres importants parus sur le Venezuela [2] montre que le Chavisme s'inscrit dans ces schémas. Elle souligne combien les liens de Chavez avec toute la mouvance de la gauche castriste sont moins étonnants qu'il n'y paraît à première vue. Militaires et guérilleros furent mis sur la touche par la démocratie vénézuélienne à son âge d'or et les uns comme les autres ont pu à bon droit dénoncer la transformation de l'État-providence pétrolier en un « État-butin » pour la classe politique. De ce point de vue, la rupture avec les pratiques anciennes est moins importante qu'il n'y paraît. Le projet alternatif du Chavisme a plus consisté à redistribuer la manne pétrolière en direction des plus pauvres ou de ses proches alliés internationaux, les dirigeants des pays membres de l'ALBA, qu'à imaginer un nouveau modèle de développement créateur de richesse. Les ruptures au regard des années

2 Enrique Krauze, *El Poder y el delirio*, Tusquets, Barcelone, 2009 ; Cristina Marcano et Alfredo Barrera Tyska, *Hugo Chavez sin uniforme*, Debate, Caracas, 2006, on trouvera une excellente présentation de ce livre dans l'article de Sergio Ramirez publié en français dans le n° 3 de *Books*, mars 2009.

qui ont précédé la venue au pouvoir de Chavez sont autres. Elles tiennent à l'omniprésence de Hugo Chavez et à sa diplomatie du pétrole qui lui permet de se constituer au travers de l'ALBA tout un réseau de dépendants.

Dans son reportage consacré aux tournées de Lopez Obrador au lendemain de sa très courte défaite aux élections présidentielles de 2006, Hélène Combes donne à comprendre le rôle d'image spéculaire qui est désormais celui du leader dans les configurations populistes contemporaines. Lopez Obrador, n'est pas le Général Cardenas qui surplombait la scène politique mexicaine, mettait en forme le social et recréait la nation en multipliant la création de *ejidos* et en nationalisant l'industrie pétrolière. Il incarne dans son face à face et dans sa rencontre avec « *los de abajo*/ceux d'en bas » d'Azuela ou mieux, pour reprendre une métaphore plus contemporaine, « *los agachados*/les petits choses » du caricaturiste Rius, une dignité que l'on qualifiera de proximité. Il n'appelle plus ses partisans à créer un nouveau Peuple mexicain promis aux plus grands destins. Il se contente désormais de donner forme à une détresse populaire et de dénoncer les injustices ou le complot des « grands » et du « système ».

Sidicaro souligne aussi cette dimension nouvelle des nouveaux populismes, le rôle à la fois central des leaders comme images unificatrices et paradoxalement leurs difficultés à s'imposer à leurs partisans. Le pragmatisme tous azimuts des Kirchner, leurs goûts pour les pots-pourris idéologiques ne sont en rien des innovations. Le changement par rapport au milieu du siècle dernier tient à leurs obligations de négocier et de répondre aux multiples demandes qu'ils ont prétendu incarner, ce sur un pied de quasi-égalité avec leurs partisans. Ne pouvant les transmuer, ils se doivent d'y répondre, d'où un mélange de crises récurrentes et un gouvernement au jour le jour.

Les réflexions de Carlos Fernando Chamorro et de Jean-Pierre Lavaud sur le Nicaragua et la Bolivie mettent en lumière les limites de l'engouement populaire pour certains des nouveaux dirigeants populistes et la capacité de ceux-ci de tenter de battre en brèche les règles de fonctionnement minimal de la démocratie. Daniel Ortega ne l'a emporté lors des dernières élections présidentielles que grâce aux modalités d'un scrutin qui témoigne de la transformation de la politique en un système affairiste ou l'État est partagé entre quelques oligarques surgis du feu des luttes politiques des trente dernières années. Il gouverne dès lors sur la base d'un mélange de clientélisme sans vergogne et du harcèlement des opposants à son pacte oligarchique. Le tout récent référendum constitutionnel bolivien montre comment la victoire du oui a été beaucoup plus courte qu'il n'y paraît et que dans bien des endroits cette victoire a été obtenue par un mélange de fraudes et de pressions qui aurait été jugé comme parfaitement contraire à la démocratie dans bon nombre de pays latino-américains.

C'est vers un tout autre panorama politique que nous emmènent Octavio Correa et Denis Merklen. En Uruguay le Frente Amplio, comme le Parti des travailleurs brésiliens, ou les partis socialiste chiliens ont très clairement dit leur *aggiornamento* avec les projets de rupture avec le capitalisme et ceux d'un développement à l'ombre d'un parti-État à l'image de ceux des pays du « socialisme réel »; projets qui avaient pu être les leurs par le passé. Toutes ces forces politiques s'affirment depuis des années comme sociales-démocrates et en appellent à une régulation du mode de production capitaliste [3]. Comment s'est effectuée cette mutation en Uruguay ? Comment les Tupamaros incarnent-ils cette rupture et ce nouveau possibilisme ? Telles sont les questions auxquelles répondent Correa et Merklen dans leur chronique politique.

Ni la politique du Parti des travailleurs au Brésil, ni celle de Michelle Bachelet au Chili, ou encore celle de Fernando Lugo au Paraguay n'ont été abordées ici ; elles feront l'objet d'articles dans de prochains numéros de la revue.

3. On verra sur ces sujets les articles récemment parus dans le numéro 217 de la revue *Nueva Sociedad,* septembre-octobre 2008, « Los colores de la izquierda », et Ernesto Ottone & Sergio Muñoz Riveros, *Après la révolution*, L'Atalante, Nantes, 2008.

Populisme et démocratie en Amérique latine
Notes et réflexions

Roger Bartra *

Le populisme est une thématique sur laquelle les sciences sociales se sont montrées extraordinairement créatives et productives en Amérique latine grâce aux recherches et aux réflexions commencées il y a plus de quarante ans. Nous disposons d'un très riche corpus d'idées sur le populisme ce qui nous permet d'aborder avec une certaine facilité la résurgence de ce phénomène politique complexe. Il est vrai que, dans la mesure où le populisme paraissait enterré ou marginal, l'intérêt pour lui a décru. L'aprisme, le cardénisme, le péronisme et le vargisme paraissaient des processus disparus. Les échos du populisme de Paz Estenssoro en Bolivie, de Velasco Ibarra en Équateur et de Jorge Eliécer Gaitán en Colombie se sont tus. Mais ces dernières années l'écho du populisme se fait de nouveau entendre. On constate au Mexique une réapparition du cardénisme en 1988. En 1998, Hugo Chávez devient le président du Venezuela et en 2006 deux campagnes électorales victorieuses conduisent Rafael Correa et Evo Morales respectivement à la présidence de l'Équateur et de la Bolivie. Cette même année, au Pérou, un populiste agressif, Ollanta Humala, a disputé la présidence à l'apriste Alan García aux élections présidentielles. Et au Mexique une poussée populiste a donné une quasi-victoire présidentielle à Andrés Manuel López Obrador. Quelques années auparavant, on avait assisté à la réapparition du style populiste avec le ménémisme et le fujimorisme. Aujourd'hui, plus personne ne doute du retour du populisme.

Les textes écrits par les sociologues dans les années 1960 valent la peine d'être relus. Je ne ferai ici qu'un bref survol de ces réflexions pour les garder

* Roger Bartra est anthropologue à l'Instituto de Investigaciones Sociales de l'Universidad Autonoma de México.

en mémoire et inviter à les prendre en considération. Je m'appuierai sur quelques-unes de ces idées pour les mettre en relation avec mes interprétations et mes propositions. Quand Gino Germani s'est référé aux mouvements qu'il appelait nationaux populaires et aux régimes populistes nés dans leur sillage, il les caractérisa comme suit : « l'autoritarisme, le nationalisme et diverses formes de socialisme, de collectivisme ou de capitalisme d'État : ces mouvements ont combiné de façon différente des contenus idéologiques opposés. Autoritarisme de gauche, socialisme de droite et une foule de formules hybrides et quasi paradoxales du point de vue de la dichotomie (ou de la continuité) "droite-gauche" [1] ».

Germani reconnaît là sa dette vis-à-vis des idées de S.M. Lipset sur l'autoritarisme de la classe ouvrière et observe que cette forme de participation politique des masses diffère du « modèle occidental ». Germani soutient que cette situation est propre aux pays sous-développés qui se caractérisent par ce qu'il appelle « la singularité du non contemporain ». Cette formule est une adaptation des théories du sociologue William Ogburn sur le déphasage culturel (*cultural lag*), thèse très influente à l'époque de Germani. Cette interprétation du sous-développement comme un ensemble bigarré de formes asynchroniques et inégales de développement socio-économique a pris les expressions les plus diverses et est devenue une sorte de lieu commun. On a parlé par exemple du continuum *folk-urban*, du colonialisme interne, de la société duale, du développement inégal et combiné, ou de l'articulation des différents modes de production.

La spécificité que relève Germani consiste en ce que, durant le chaotique processus de transition des sociétés théocratiques et oligarchiques à des formes modernes et industrielles, apparaissent des mouvements populaires qui ne s'intègrent pas au système politique en accord avec le modèle démocratico-libéral mais qui adoptent des expressions populistes (qu'il appelle « national-populaires »). Et cela, parce que les canaux de participation offerts à la société sont soit insuffisants, soit inadéquats.

Un autre sociologue, Torcuato S. di Tella, ajoute à l'explication de Germani ce qu'il appelle un « effet d'aveuglement ». À la différence de ce qui s'est passé dans les pays européens, le monde sous-développé constitue la périphérie de l'éblouissant centre – avancé, sophistiqué, et riche – qui produit un effet de démonstration aussi bien chez les intellectuels qu'au sein du restant de la population. Les moyens massifs de communication élèvent le niveau des aspirations et, lorsque le manteau de la société traditionnelle craquèle, une pression sociale à la recherche de solutions imprévisibles apparaît. Comme la modernisation se doit d'être énergique et rapide, les mouvements sociaux sont

1. Gino Germani, « Democracia representativa y clases populares », dans Gino Germani, Torcuato S. di Tella y Octavio Ianni, *Populismo y contradicciones de clase en Latinoamérica*, Ediciones Era, Mexico, 1973, p. 29. Un livre d'Octavio Ianni résume bien les préoccupations de la gauche sur ce phénomène : *La formacion del Estado populista en América Latina*, Ediciones Era, Mexico, 1975.

soudains et excessifs pour un système économique retardataire et incapable de faire face à de nouvelles demandes. Les masses qui rompent avec la société traditionnelle ne se cristallisent pas en des mouvements politiques libéraux ou ouvriers, comme en Europe, mais sont au contraire attirées par des leaders charismatiques et démagogiques de style populiste [2].

Torcuato S. di Tella souligne en outre un nouveau phénomène : l'apparition de ce qu'il appelle les « groupes non-conformes ». Il se réfère à des segments sociaux disloqués et désormais hors contexte, comme les aristocrates appauvris et en dissension sociale, les nouveaux riches qui ne sont toujours pas acceptés dans les cercles les plus huppés ou les groupes ethniques déplacés. Il s'agit de secteurs sociaux qui accumulent le ressentiment et nourrissent une amertume et un désir de vengeance contre un *establishment* qu'ils trouvent injuste. « Les groupes non-conformes – explique Torcuato S. di Tella – et les masses mobilisées et disponibles sont faits les uns pour les autres. Si leur situation sociale est différente, ils partagent une même haine et une même antipathie pour le statu quo dont ils ont une expérience viscérale et passionnée. Ce sentiment est très différent de ceux qu'un intellectuel peut connaître à la suite de ses activités professionnelles – sauf si lui aussi est non-conforme, ce qui est assez courant dans les régions sous-développées [3]. »

On peut comprendre les limites de ces approches qui inscrivent le phénomène populiste dans le contexte de la transition des sociétés traditionnelles à la modernité. Le populisme serait ainsi une anomalie ou un accident qui apparaît durant un processus de transition où les pays sous-développés ne suivent pas les modèles occidentaux. Cela dit, tout en laissant de côté les aspects linéaires et développementalistes de ce raisonnement, on peut sauvegarder trois propositions dans les raisonnements de Germani et de Di Tella.

Anciens et nouveaux populismes

Tout d'abord, on peut souligner l'importance de la présence d'un large segment de la société formé d'un mélange hétérogène de survivance de formes sociales traditionnelles : groupes exclus par la modernisation, structures aberrantes de projets économiques avortés, bureaucraties discréditées, groupes ethniques en décomposition, commerçants ambulants, migrants sans emploi, marginaux hyperactifs, travailleurs précaires, et mille autres. Il s'agit d'une masse de population qui vit la singularité incongrue de sa non-contemporanéité et de son asynchronie pour utiliser les termes de Germani et de Di Tella. Ce sont eux qui forment la masse hétérogène appelée « peuple » par les dirigeants populistes, un véritable pot-pourri dont les dissensions et la composition varient beaucoup selon les pays et les époques et qui ne caractérisent pas seulement l'Amérique latine des années 1930 ou 1950,

2. Torcuato S. di Tella, « Populismo y reformismo », dans Gino Germani, Torcuato S. di Tella y Octavio Ianni, *op. cit*, p. 38 sq.
3. *Ibid.*, p. 43.

mais dont on constate l'existence de nos jours. Il ne s'agit donc nullement d'un phénomène exclusivement lié à la transition mais, bien au contraire, d'une situation durable.

Le deuxième aspect sur lequel il nous faut insister est l'importance accordée à la rapidité et à l'agressivité de la modernisation et de l'expansion du capitalisme en Amérique latine. Il nous faut aussi affirmer qu'il ne s'agit pas, là non plus, d'un processus limité à la transition des sociétés oligarchiques retardataires aux systèmes d'accumulation capitaliste et d'industrialisation les plus avancés. L'arrivée en Amérique latine de nouvelles tendances se produit, quoiqu'avec un certain retard, de la façon la plus impétueuse et, pour utiliser la métaphore de Di Tella, de façon aveuglante, sans que l'on ait préparé la société à accueillir ces changements. En fin de compte, ces changements comme ceux liés à la globalisation, ont mûri dans les économies centrales et ont étendu très rapidement leur influence vers la périphérie en étant portés par la voracité propre aux grandes entreprises transnationales.

Ainsi, la présence constante de masses non-conformes et bigarrées et de flux aveuglants et vertigineux continue d'avoir des conséquences politiques très importantes dans les sociétés latino-américaines aujourd'hui. Nous faisons quotidiennement l'expérience des changements brutaux et des conséquences bouleversantes produits par ces flux aveuglants au sein des masses non-conformes. Comme l'a expliqué Germani, les mobilisations produites par la pénétration du flux d'une modernisation frénétique dans une masse sociale composite sont difficiles à assimiler et ébranlent les systèmes politiques. Ainsi ces mouvements et ces ébranlements deviennent le bouillon de culture des expressions populistes. Mais Germani s'est trompé en considérant ce phénomène comme le seul fruit de la transition des oligarchies traditionnelles aux sociétés modernes.

En troisième lieu, on peut aussi reprendre de la vieille perspective sociologique fonctionnaliste latino-américaine ses aperçus sur l'importance de leaders charismatiques dans les phénomènes populistes. L'autoritarisme, qui caractérise aussi bien les mouvements populistes que les régimes qu'ils fondent, s'associe à la force personnelle des dirigeants dont le discours est généralement un élan idéologique qui tourne autour de l'exaltation du peuple, entendu comme une notion vague se référant à l'existence d'une dualité sociale néfaste à laquelle il est indispensable de mettre fin. Il est évident que la présence de leaders politiques forts et charismatiques n'est pas propre au populisme. Ce qui est propre au populisme serait plutôt le discours idéologique du leader et les relations très spécifiques qui le mettent en relation avec les masses qui l'appuient. Il s'agit aussi du caractère multi-idéologique d'un discours avec une très forte charge émotionnelle qui en appelle directement à une masse souffrante hétérogène, au-delà des classes sociales. Cependant, bien que le discours populiste s'adresse au cœur du peuple qu'il convoque directement, le mouvement tend à organiser – tout spécialement quand il arrive au pouvoir – un réseau complexe de médiations de type clientéliste. Ajoutons enfin que le culte du leader charismatique va de pair avec une « étatolâtrie » généralisée.

Définir le populisme

Je vais en venir maintenant à l'épineux problème de la définition du populisme. On a signalé de façon répétée la très grande difficulté à définir ce terme et Ernesto Laclau a même dit qu'il était impossible à définir. Cet auteur avait déjà signalé en 1978 que le populisme ne pouvait être défini comme l'expression d'une « classe sociale » (comme la paysannerie, les fermiers ou la petite bourgeoisie), pas plus que comme le résultat aberrant de la transition d'une société traditionnelle à une société industrielle. L'étude comparative des mouvements et des régimes qu'on a qualifiés de populistes présente de nombreuses incohérences quand on prétend ranger dans la même catégorie le populisme russe du XIXe siècle, le nassérisme égyptien, le péronisme argentin et le chavisme vénézuélien. Et si l'on y ajoute, comme le suggère Laclau, le fascisme et le socialisme révolutionnaire, il devient évident que nous ne pourrons jamais atteindre une définition du populisme capable de rendre compte d'un spectre aussi ample et varié de situations politiques.

La confusion est en grande partie due au fait que, pour échapper aux explications du populisme qui renvoient à ces fonctions et au processus de changement dans lequel il prend place, on privilégie cette dimension idéologique pour le définir. Et là encore il est très difficile de généraliser. La formule que propose Laclau pour expliquer le populisme comme phénomène idéologique puise à l'idée marxiste althussérienne d'« interpellation ». Le populisme serait un discours qui interpelle le « peuple » comme sujet pour s'opposer au pouvoir hégémonique. L'interprétation peut osciller entre deux pôles : la forme la plus haute du populisme – le socialisme qui entend supprimer l'État comme force antagoniste – et la force opposée – le fascisme – dirigée à préserver l'État totalitaire. Et l'on aurait entre ces deux formes extrêmes toute une gamme de phénomènes idéologiques populistes tel le bonapartisme [4].

Selon cette interprétation, le populisme bien qu'il soit entendu comme un phénomène essentiellement idéologique peut prendre des formes aussi bien très définies qu'indéfinies et confuses. Du coup, toute expression idéologique peut être taxée de populisme. L'interprétation populiste surgit historiquement, selon Laclau, en liaison avec la crise d'un discours idéologique dominant, crise qui est tout à la fois la partie d'une crise sociale plus générale due à une fracture du bloc au pouvoir et à l'incapacité de celui-ci à neutraliser les secteurs dominés. Surgit à ce moment-là une classe ou une fraction de classe qui a besoin d'en appeler au « peuple » contre l'idéologie en vigueur [5].

---

4. Ernesto Laclau, *Política e ideología en la teoría marxista. Capitalismo, fascismo y populismo*, Siglo XXI editores, Mexico, 1978, p. 231 sq.

5. *Ibid.*, p. 205.

Laclau a récemment poursuivi, amplifié et modifié sa définition du populisme. Il prétend offrir une plateforme logique et rationnelle au populisme latino-américain. Ce qu'il appelle « la raison populiste » doit être capable de transformer la critique des aspects négatifs (la vacuité du discours) en une exaltation de ses vertus (le leader). Il substitue aujourd'hui l'idée d'« interpellation » par celle de « construction » de l'identité populaire. La diversité des demandes populaires dans ce processus idéologique est condensée par le discours populiste en un ensemble d'équivalences significatrices. Ces équivalences annulent les significations propres de l'hétérogénéité et produisent un vide. C'est dans cette vacuité du populisme – qu'on a décrite comme une ambiguïté idéologique – que Laclau discerne paradoxalement sa rationalité. La rationalité populiste consiste à accueillir la pluralité et à la construire en un mot vide : « le peuple ». C'est ici que Laclau introduit son explication du rôle central du leader : l'unité de cette formation discursive est transférée à un ordre nominal. La « désignation » du leader remplit le vide et donne un sens au peuple. Ainsi, le nom se transfère vers le fondement d'une chose [6]. L'identité populaire ainsi constituée, dirigée par son leader, exige alors une représentation (totale ou partielle) dans les sphères du pouvoir.

Il s'agit là d'une solution purement rhétorique au problème de la définition du populisme, réalisée maintenant à l'aide de la psychanalyse lacanienne. Il a la capacité de définir clairement et précisément le problème grâce à la notion vide de « peuple » et au processus nominaliste de son invention. Je ne veux pas entrer ici dans toutes les subtilités de cette nouvelle interprétation de Laclau mais simplement souligner qu'il s'agit d'une alternative à l'analyse fonctionnaliste qui fait basculer l'explication du côté du discours idéologique. Cela implique des limites importantes, mais lui permet d'échapper aux implications critiques qui sous-tendent l'utilisation du terme « populisme » et d'ouvrir la porte à son exaltation intellectuelle. Ceci dit, il me paraît très difficile que les actuels leaders populistes acceptent que l'on applique ce substantif à leurs mouvements. Ils craindraient qu'un tel mot ne fût la pierre de touche d'une critique des visées politiques qu'ils impulsent. Il s'avère peu probable qu'un dirigeant populiste accepte comme *rational choice*, comme choix rationnel, la proposition faite par Laclau d'utiliser le nom de cette chose étrange qu'ils promeuvent.

Le populisme, une culture politique

Ces brèves réflexions critiques vont me servir de point d'appui pour construire une interprétation différente. Il me semble que nous pouvons considérer le populisme comme une forme de culture politique plus que comme la cristallisation d'un processus idéologique. Au centre de cette culture politique il y a certainement une identité populaire qui n'est pas un simple signifiant vide, mais un ensemble de coutumes, de traditions, de symboles, de valeurs, de médiations, d'attitudes, de personnages et

6. Ernesto Laclau, *La Raison populiste*, Le Seuil, Paris, 2008, p. 122.

d'institutions. Nous savons que les identités, qu'elles soient nationales, ethniques ou populaires, ne peuvent se définir en rapport à des essences ou à des entités fondamentales. Comme le dit Jacques Derrida « le propre d'une culture est de ne pas être identique à elle-même [7] ». Le « peuple » de la culture populiste est avant tout un mythe, et comme on le sait, le mythe constitue une logique culturelle qui permet de surmonter les contradictions les plus diverses.

C'est pour cela que si nous pouvons tracer des généalogies et des traditions dans les cultures populistes, montrer des influences et des connexions entre ces traditions, il est néanmoins impossible de définir un ensemble de traits communs à toutes celles-ci. Les vieux populismes du XIXe siècle aux États-Unis et en Russie ont donné lieu à des traditions et à des manières de faire que nous pouvons reconnaître même chez leurs plus vieux descendants. Nous avons par exemple aux États-Unis George Wallace ou Ross Perot et en Europe le *squadrismo* agraire italien, le mouvement intellectuel *strapaese*, Pierre Poujade en France et l'apparition d'un populisme de droite dans les pays autrefois communistes [8].

On peut dire la même chose des vieux populismes latino-américains et de leurs relations avec leurs nouvelles formes. Si nous reconnaissons des héritages et des lignées politiques, il est difficile de reconnaître un habitus ou une forme commune qui les définisse tous dans leur ensemble. On peut en revanche reconnaître l'existence d'une espèce d'arbre généalogique du populisme latino-américain qui, s'il a bien des traits communs avec des traditions européennes et nord-américaines, n'en constitue pas moins une branche à part de la culture politique, sans l'enfermer pour autant dans une définition. Et c'est dans cette culture politique que nous pouvons discerner des habitus autoritaires, des médiations clientélistes, des valeurs anticapitalistes, des symboles nationalistes, des personnages charismatiques, des institutions étatiques et tout spécialement des attitudes qui exaltent ceux d'en bas, les gens simples et humbles, le peuple.

Pour récapituler, on peut dire que le populisme est une culture politique alimentée par l'ébullition de masses sociales caractérisées par leur asynchronisme bigarré et leur réaction contre les flux rapides d'une modernisation aveuglante, une culture qui dans ses moments de crise marque les mouvements populaires, leurs leaders et les gouvernements qui éventuellement se mettent en place. On peut comprendre que de telles situations sont apparues à divers moments historiques. En Amérique latine, cette situation est apparue lors de ce qu'on a appelé la crise des États oligarchiques et, plus récemment, sous l'influence de la puissante

7. Jacques Derrida, *L'Autre Cap*, Minuit, Paris, 1991, p. 16.

8. Voir l'important recueil d'essais dirigés par Ghita Ionescu et Ernest Gellner, *Populism. Its Meaning and National Characteristics*, Weidenfeld & Nicolson, Londres 1969. Sur l'Europe, voir Michel Wieviorka, *La Démocratie à l'épreuve. Nationalisme, populisme, ethnicité*, La Découverte, Paris, 1993.

dynamique de la mondialisation. Ces phénomènes sont à l'œuvre aussi bien dans des processus politiques à grande échelle que dans des manifestations plus limitées et relativement marginales. Ils pèsent sur la formation des gouvernements, ou marquent simplement le style de certains leaders.

Bien que le populisme soit de mon point de vue avant tout une expression culturelle, je ne crois pas que nous puissions penser qu'il soit comme un gant que n'importe quelle main peut utiliser ou qu'il soit une forme sans contenu politique bien défini qui aille du nazisme au communisme. Il est évident que le populisme représente un éventail varié d'expressions idéologiques très souvent contradictoires. Sa cohérence ne tient pas à l'idéologie mais à la culture. C'est pour cela que le fascisme et le communisme qui ont été des blocs monolithiques de cohérence idéologique sont des phénomènes qui ressortent d'un tout autre ordre politique. Cela ne veut pas dire qu'il n'y a pas eu des traits populistes dans les États fascistes ou communistes comme en Italie ou en Chine et à l'inverse que nous ne puissions rencontrer des ingrédients fascistes ou socialistes dans les populismes comme c'est le cas dans le péronisme et le cardénisme.

Néanmoins, les phénomènes populistes ont tendance à pencher à gauche et à occuper des territoires sociaux que les parties ou les groupes progressistes aspirent à pénétrer ou à représenter. De fait, les définitions les plus importantes du populisme trouvent leur origine dans les discussions entre marxistes à la fin du XIXe siècle et nous devons bien évidemment à Lénine la vision critique et péjorative avec laquelle la gauche a l'habitude de considérer ce phénomène. Comme je l'ai dit, très peu d'hommes politiques acceptent d'être taxés de populistes, même si quelques-uns l'assument. En règle générale, le populisme a été considéré de façon extrêmement critique aussi bien par la gauche révolutionnaire que par la gauche réformiste. Et, il est très souvent rejeté par la droite. La plupart du temps, ces critiques et ces rejets conduisent à un curieux aveuglement qui cache aussi bien aux droites qu'aux gauches les syndromes populistes qui se manifestent dans leur propre camp.

Je veux ajouter que cet asynchronisme bigarré est généralement perçu comme la preuve de l'échec du projet néolibéral et que les flux de cette modernisation aveuglante sont interprétés comme les effets malins de l'américanisation et de la globalisation. C'est pour cela qu'il est tout naturel que par exemple, les conquêtes du populisme bolivarien soient considérées par beaucoup comme un processus de gauche, comme la transition à une société plus juste et démocratique. En réalité, ce projet populiste a pris son aspiration dans les franges les plus bigarrées du désordre social et politique pour agglomérer de façon incohérente les idées qui constituent le dénommé « socialisme du XXIe siècle ». Et c'est là-dessus qu'il base son refus de la modernisation rampante pour mettre à l'honneur l'anti-impérialisme rupestre et démagogique qui le caractérise.

Le nouveau contexte politique latino-américain

L'époque où le mur de Berlin est tombé et où pratiquement tous les États socialistes ont disparu coïncide avec la chute des dictatures latino-américaines et l'émergence de régimes démocratiques. Cette coïncidence marque profondément l'évolution du panorama politique. Depuis que la démocratie politique a remplacé les dictatures en Amérique latine, il est possible de discerner tant au sein du spectre des forces de droite que dans celui des forces de gauche un déplacement vers le centre et un abandon des positions extrémistes. Les héritiers des droites putschistes et militaristes sont en voie d'extinction. La carte de la gauche a changé radicalement : les options guérilleras et révolutionnaires en lutte pour un socialisme pur et dur disparaissent et sont remplacées par des alternatives qui privilégient la voie électorale. Ce glissement vers le centre a été démontré de façon incontestable et parfois spectaculaire dans la campagne de Lula en 2002, quand il a enfin remporté les élections. On a constaté la même chose au Chili. Ces deux pays sont aussi un exemple de l'extinction des droites dictatoriales et anti-démocratiques. Tout cela paraîtrait indiquer que les tendances au renforcement des courants libéraux démocratiques et socio-démocrates aboutissent à une compétition pour occuper des positions centristes.

Toutefois les choses ne sont pas si simples. En Amérique latine les vieilles cultures politiques autoritaires qui, si distinctes soient-elles, peuvent être qualifiées de populistes, n'ont pas pour autant disparu. Et il est probable que les exemples les plus résistants de cette vieille culture politique soient le priisme mexicain et le péronisme argentin. À la différence d'autres populismes ceux-ci ont eu une expression étatique, un phénomène gouvernemental lié au pouvoir où apparaît un leader ou un *caudillo* avec une très large base sociale. Mais en même temps, Lázaro Cárdenas y Juan Domingo Perón sont des exemples des immenses disparités entre les situations politiques qui leur donnèrent naissance.

Les résonances populistes en Amérique latine d'aujourd'hui ont suscité une inquiétude dans tout le continent. Ses plus importantes manifestations, en Bolivie, en Équateur, au Mexique, au Nicaragua, au Pérou et au Venezuela ont très sérieusement modifié le spectre politique de ces pays. À mon sens ils ont provoqué une distorsion au sein des courants de gauche qui, au lieu de se rapprocher de positions et d'attitudes sociales démocrates (comme cela a été le cas au Brésil, au Chili et en Uruguay), ont été séduits par le vieux populisme et ont reçu l'influence, directe ou indirecte, de la culture dictatoriale du socialisme pétrifié des Cubains. Au Pérou, l'explosion du nationalisme populiste a été conjurée par une forme molle et atténuée de ce même courant politique (l'aprisme d'Alan Garcia). Le populisme péroniste ne paraît guère virulent en Argentine, et au Mexique les attitudes agressives et conservatrices de López Obrador l'ont conduit à une très courte défaite électorale.

Les actuelles tendances populistes sont un phénomène important qui doit retenir notre attention. Ils sont symptomatiques, comme je l'ai dit, des problèmes de fond auxquels ils nous ramènent. C'est-à-dire à la présence dans beaucoup de pays latino-américains de formes culturelles liées au populisme, formes culturelles beaucoup plus vastes et profondes que leurs seules expressions idéologiques. Il s'agit d'une culture populaire nationaliste, conflictuelle, révolutionnaire, antimoderne, aux racines supposément indigènes, méprisant les libertés civiles et peu encline à la tolérance. Bien évidemment mon exemple préféré est celui de la culture priiste qui est celle que je connais le mieux et dont j'ai le plus souffert. Mais la présence plus ou moins importante d'expressions culturelles semblables est aisément discernable dans de nombreux pays. Il est important de souligner que ce type de culture populaire vit en symbiose avec une droite peu cultivée qui la stimule, et qu'elle est souvent liée à des entrepreneurs mal dégrossis et amateurs de gains rapides et faciles, peu soucieux de gestion économique à long terme, méfiants vis-à-vis du libre commerce, qui font fortune à l'ombre de la politique et qui souvent se drapent dans la corruption. Une variété curieuse de cette culture populiste de droite s'est développée au Mexique, impulsée par une bourgeoisie nationaliste et révolutionnaire, très favorable à l'institutionnalité dictatoriale d'un parti unique.

Les alternatives populistes

Le populisme entendu comme culture politique ne peut constituer une alternative sérieuse en matière de développement économique et socio-politique. Ce n'est ni une option pour un modèle socialiste ni une modalité du développement capitaliste accéléré. Au lendemain de 1989, les projets visant à la construction d'un État socialiste sont à la fois rares et tragiquement anachroniques. On a néanmoins quelques exemples de ces projets en Amérique latine, presque tous en relation. Ainsi l'étrange socialisme populiste vénézuélien proposé par Chávez est lié au modèle révolutionnaire cubain obsolète. Et l'on peut penser que cette option n'a aucune viabilité et que tôt ou tard elle disparaîtra. Si les réserves pétrolières du Venezuela paraissent pouvoir durer deux cents ans le modèle chaviste est tout aussi incapable de créer un développement moderne que l'a été le projet exotique de Kadhafi en Libye dans les années 1970. J'ai de plus l'impression que l'on ne tardera pas beaucoup à voir Cuba s'orienter vers cette transition si particulière qu'est le « socialisme de marché » à la chinoise.

D'un autre côté, nous avons des gouvernements populistes qui ont accepté les règles du jeu de la globalisation du monde capitaliste et qui, en même temps, appuient des politiques sociales clientélaires et assistantialistes. Dans certains cas, comme l'ont démontré Alan Garcia dans les années 1980 et Menem dans les années 1990, ils furent de mauvais administrateurs d'un capitalisme tout à la fois agressif et en faillite. Une variante particulièrement tragique et corrompue de ce modèle fut l'expérience de Fujimori dans le Pérou des années 1990. On peut en conclure que la culture politique populiste associée à un agenda économique néolibéral a des coûts extrêmement élevés et est incapable de favoriser la croissance et la production de richesse qui pourraient être à la base du financement de programmes sociaux, de politiques de santé, d'emploi, d'éducation et de réduction de la pauvreté. Cet échec est à mettre en relation, en partie, avec les difficultés propres à un gouvernement soumis à la logique culturelle populiste de s'insérer dans la globalisation et d'attirer des investissements.

Il faut maintenant se poser la question suivante : quelles sont les possibles répercussions des cultures populistes sur les institutions démocratiques ? C'est un problème central dans différents pays et il n'est pas facile de parvenir à une conclusion puisque nous sommes face à des processus en cours et dont on ne connaît pas le terme. Il est probable que le typique coup d'État d'extrême-droite mené par des militaires contre des gouvernements populistes est une alternative assez improbable. Mais en revanche, la possibilité que les gouvernements populistes eux-mêmes suivent un cours qui les conduit à des formes autoritaires et anti démocratiques est tout à fait possible. De fait, l'évolution désastreuse du gouvernement de Fujimori en offre un exemple dans le passé récent. Est-il possible que les processus boliviens, équatoriens et vénézuéliens s'acheminent vers des formes autoritaires semblables à celles de Fujimori mais avec des traits gauchisants ? Si la culture populiste est bien enracinée, la réponse pourrait bien être affirmative et l'on devrait s'attendre à l'entrée de ces pays dans un cycle autoritaire croissant.

Cependant, il y a d'autres chemins possibles pour des gouvernements de gauche aux bases populaires solides. L'alternative la plus connue et la plus parcourue est la voie sociale-démocrate telle que l'ont connue le Chili, le Brésil et l'Uruguay où les gouvernements de Bachelet, Lula et Tabaré ont nettement pris leurs distances avec le populisme. Tout comme les populistes, les gouvernements d'orientation sociale-démocrate mettent l'accent sur la nécessité de promouvoir une société plus égalitaire, incluante et protectrice vis-à-vis des groupes les plus pauvres et les plus vulnérables. Mais on constate de grandes différences. On a d'un côté une défense de la démocratie représentative et une politique qui accepte clairement que la globalisation soit aujourd'hui le moteur le plus important du changement. À l'inverse, le populisme appuie des attitudes de confrontation avec les entrepreneurs, considère avec suspicion les investissements étrangers, est agressivement nationaliste et appuie des réformes politiques qui conduisent à la continuité du pouvoir autoritaire du leader. Ces réformes minent la démocratie électorale et favorisent à l'inverse des mécanismes alternatifs de participation et d'intégration populaire de type corporatiste, clientéliste et mobilisateur.

Il est évident que si dans nombre de cas le système des partis et les élites ont exercé le pouvoir dans un contexte démocratique d'une façon si corrompue, irrationnelle, inefficace, et sans aucune équité, ils ont conduit, au final, leur société à la catastrophe. Cela a été le cas au Venezuela dont la vieille démocratie, inaugurée en 1959 avec la chute de Pérez Jiménez, se trouvait tellement corrompue qu'elle a engendré une grande mobilisation populaire contre le système.

Le populisme mexicain

Je voudrais maintenant présenter quelques réflexions sur ce que l'on peut considérer comme l'expérience la plus longue, la plus durable et la plus stable du populisme en Amérique latine. Je me réfère au cas mexicain, mon propre pays, le cas que je connais le mieux et qui est l'exemple des coûts très élevés que paie une société quand la culture populiste est si profondément enracinée et où même la droite politique et les élites entrepreneuriales l'ont épousée, qu'on en arrive à la constitution d'un groupe hégémonique que Mario Vargas Llosa a appelé si ironiquement « la dictature parfaite ». Si parfaite que pendant des décennies elle a fait l'envie de beaucoup de gouvernements latino-américains et qu'elle a été le modèle de certaines alternatives politiques comme le Pérou de l'époque de Velazco Alvarado et le Nicaragua du premier sandinisme. Les gouvernements mexicains qui se sont inspirés de la culture populiste – le nationalisme révolutionnaire institutionnel – ont occupé le pouvoir pendant soixante-dix ans et ont consolidé le régime autoritaire le plus difficile à éradiquer en Amérique latine. Venons-en maintenant au problème qui surgit quand on passa enfin du régime populiste à une transition démocratique.

Durant de nombreuses années, l'un des principaux problèmes politiques en Amérique latine fut l'urgence de civiliser et de moderniser les droites. La droite mexicaine – enkystée dans le vieux système populiste – fut une des plus difficiles à ébranler, et cela explique que le Mexique ait été le dernier pays latino-américain à l'exception de Cuba à connaître un processus de transition démocratique. La dictature révolutionnaire institutionnelle, forte de ses larges bases populaires, était un système qui apparaissait aux élites à tel point parfait et sûr qu'on ne pouvait l'abandonner. Ce n'est qu'à la faveur des élections de 2000 qu'un parti de droite indépendant a enfin défait le parti officiel et qu'une époque démocratique a commencé. Mais un problème de légitimité s'est immédiatement posé : par quoi remplacer la culture populiste nationaliste révolutionnaire de l'ancien régime ? Comment construire une légitimité à ce gouvernement élu démocratiquement sans recourir aux vieilles médiations et aux vieilles ressources populistes ?

Le rêve de beaucoup d'administrateurs et de technocrates latino-américains a été de parvenir, d'une façon qui aurait enthousiasmé Niklas Luhmann, à un système politique qui puisse fonctionner et se reproduire sans tirer sa légitimité de la société qui l'entoure, à l'exception du fonctionnement de sa mécanique électorale, et qui assure sa cohésion sans jamais recourir à des structures normatives externes. Le système serait auto-légitimé, autonome, et basé sur la rationalité et le formalisme de l'administration et la capacité de celle-ci à générer les conditions politiques du bien-être. Sous de tels auspices, le système politique n'aurait plus recours à des médiations ni, par conséquent, à des sources extra-systémiques de légitimité.

Cette utopie systémique nous permet de déterminer quelques points nodaux. Tout d'abord la gestion gouvernementale doit opérer sur la base d'une nouvelle culture qui se substitue au nationalisme populiste du PRI.

On a parlé d'une culture managériale dont la structure symbolique devrait avoir la capacité de réarticuler l'identité du système politique. Il ne fait aucun doute qu'à l'échelle mondiale on a multiplié les expériences qui nourrissent la culture gouvernementale, laquelle s'enrichit en outre de l'adoption d'habitudes et de pratiques venues du monde de l'entreprise. Ne nous arrêtons pas à des détails techniques mais posons la question suivante : la culture gestionnaire est-elle suffisante pour légitimer un système politique démocratique. Je crois que non, pas même dans le cas peu probable où une telle culture amène le bien-être économique pour les larges couches de la population la moins favorisée. L'économie ne produit pas en elle-même de la légitimité.

L'hégémonie d'une culture gestionnaire ou technocratique présuppose que le système politique mexicain, depuis les élections de 2000 perdues par le PRI, n'a plus besoin de sources externes de légitimité : la seule efficacité des appareils du gouvernement devrait constituer une base suffisante pour garantir la continuité. Mais, comme nous le savons tous et comme cela est évident, les appareils gouvernementaux au Mexique et en Amérique latine sont très loin de cette efficacité gestionnaire et sont bien trop contaminés par la corruption, le paternalisme ou le corporatisme ; en fonctionnant en puisant seulement leur légitimité dans une nouvelle culture de la gestion et du marketing. Il est curieux que ce soit l'opposition de gauche qui ait la première transmis l'idée que le groupe politique dirigé par Vicente Fox ait gagné les élections de 2000 grâce à ses capacités à dominer les techniques de la publicité politique grâce auxquelles il aurait réussi à tromper des millions d'électeurs. Le nouveau gouvernement aurait ainsi transposé son habileté managériale à l'administration publique. Il s'agit d'une explication simpliste qui ne permet pas de comprendre que la défaite du PRI s'inscrivait dans un processus long et complexe de transition démocratique.

Les causes profondes de la transition, qui renvoient à une grande crise culturelle, s'inscrivent dans un cycle long commencé en 1968 et qui n'est toujours pas clos. Ce cycle long comprend une crise des médiations politiques nationalistes et la lente apparition d'une nouvelle culture politique. Et c'est précisément dans ce cycle long que nous pouvons repérer les signes de l'apparition de nouvelles formes de légitimité. C'est dans les changements et les ajustements de ce système en crise que nous pouvons en découvrir les premiers indices. C'est par exemple, face à la division du parti officiel et face à la crise du nationalisme que le gouvernement priiste a choisi de lancer le Traité de Libre Commerce et a opté pour la globalisation ; puis face aux problèmes de crédibilité qui en ont résulté, il a lancé une réforme politique qui a instauré un mécanisme électoral, autonome et fiable. Paradoxalement, par ces mesures le gouvernement priiste a accéléré sa fin alors qu'il visait à perpétuer sa présence au pouvoir. L'opposition de gauche qui s'était développée grâce à la division du PRI a fait une très mauvaise lecture de cette situation : elle a cru en la nécessité de revenir au nationalisme révolutionnaire originel (cardéniste et même zapatiste) et a développé une attitude populiste de méfiance à l'encontre de la démocratie électorale.

Ce retour du populisme, non plus au travers du vieux parti officiel mais de l'opposition de gauche – le PRD – fut sans aucun doute accueilli favorablement par le gouvernement de Vicente Fox qui s'est laissé tenter par les attraits apparents d'une culture managériale comme base de légitimité. Ceci a favorisé la désillusion de très larges secteurs sociaux, et a suscité une masse d'asynchronie bigarrée, de groupes non-conformes, fragilisant la jeune démocratie instaurée quelques années auparavant. Cela explique, au moins en partie, l'énorme attrait de l'option électorale populiste en 2006. L'autre explication de cet engouement croissant pour le populisme réside dans le fait que, à la tête du gouvernement de la mégalopole de Mexico, López Obrador a pu tisser durant des années un grand réseau de médiations clientélistes, fondées sur le caciquisme, base matérielle et politique de sa campagne. Mais cette poussée populiste est restée éphémère et insuffisante pour parvenir à triompher.

La courte défaite de López Obrador en 2006 est principalement due à son choix de revenir au vieux nationalisme révolutionnaire et au style priiste qui avait causé tant de tort au pays. Il a été incapable d'inscrire sa campagne électorale dans une nouvelle culture politique démocratique. Il s'en est pris frontalement à la culture gestionnaire qu'il a, dans ses excès, qualifiée de fasciste. Et tout en ayant un programme modéré et contradictoire, il a donné l'impression qu'il était un révolutionnaire agressif qui ne permettrait pas aux riches de s'enrichir davantage. Il a été tout aussi grossier à l'encontre de la classe moyenne. Les incohérences mêmes de son programme ont fait que peu ont cru qu'il s'apprêtait à le suivre.

L'exemple mexicain permet une dernière réflexion. J'ai signalé les limites et les dangers de ces deux cultures en rivalité : la culture gestionnaire ou technocratique de la droite et la culture populiste de la gauche. Ces deux alternatives peuvent éroder la légitimité démocratique si difficilement acquise, que l'on croie que la politique peut fonctionner avec l'automatisme de l'économie de marché ou que l'on veuille substituer à la démocratie représentative le jeu des caciques, le messianisme ou le caudillisme comme mode de contrôle politique. Ce dont nous avons besoin, c'est d'une culture démocratique moderne, celle-là même dont la croissance au sein de la société mexicaine a érodé l'autoritarisme populiste, mais qui n'arrive pas à se répandre et à s'enraciner de façon suffisamment nette. Cette culture démocratique a été impulsée par deux grandes tendances politiques : la social-démocratie et le libéralisme qui, depuis la chute du monde bipolaire en 1989, sont en plein processus de rénovation et requièrent encore des changements. Ces changements doivent se focaliser sur la modification et la rénovation de la culture politique des partis et pas seulement se préoccuper de la nécessaire légitimité du système politique. La démocratie politique, comprise comme un système de représentation, ne résout pas les immenses problèmes de la misère, des inégalités extrêmes, ou encore ceux de notre absence de productivité enfin certains de nos retards chroniques. Ce ne sont pas les programmes politiques qui peuvent en eux-mêmes éliminer la pauvreté en Amérique latine. Nous savons depuis longtemps que la culture est un puissant moteur de l'économie. Les économistes commencent à peine à reconnaître ce fait et c'est pourquoi les structures culturelles ont été aussi de puissants freins à la prospérité économique.

Ce qui est en jeu n'est pas seulement le mouvement des pièces sur l'échiquier politique continental ou mondial. Derrière les propositions technocratiques et populistes, il y a des processus culturels qui peuvent accélérer ou freiner le bien-être des sociétés latino-américaines. Pour cette raison, la politique doit être un processus civilisateur. Nous avons en Amérique latine un besoin urgent de civiliser la classe politique et de démocratiser la culture populaire. À faire le contraire, au lieu d'accumuler richesse et bien-être, nous continuerons à en perdre décennie après décennie.

Traduit de l'espagnol par Gilles Bataillon

De la Révolution bolivarienne au socialisme du XXIe siècle Héritage prétorien et populisme au Venezuela

Frédérique Langue *

Si les mois précédant ou suivant les élections présidentielles de décembre 2006 au Venezuela ont vu se multiplier les analyses évoquant les résurgences du populisme latino-américain, d'autres considérations sont également venues relativiser cette approche. Tel est le cas des références aux nouvelles gauches, qu'elles soient « de gouvernement » – privilégiant grosso modo une orientation social-démocrate, tels le Brésil de Lula, le Chili de Michelle Bachelet, l'Uruguay de Tabaré Vásquez – ou « de rejet » – plus radicales voire promptes à une dérive autoritaire –, qui composent désormais l'échiquier politique du continent. Malgré cette lame de fond enregistrée tout au long de l'année 2006 et que confirment les derniers comices de 2007 (Argentine), les grandes tendances régionales ne doivent pas faire oublier l'ancrage des pratiques de la démocratie issues précisément de ces élections réalisées au profit des « deux gauches », y compris pour une période plus récente et dans le cadre de consultations électorales plus locales.

De même ne convient-il guère de faire l'impasse sur des modes de gouvernance en opposition radicale à un passé parfois villipendé (désillusion à l'endroit du système des partis et de la représentation), volontiers exorcisé mais tout aussi bien revendiqué sur le long terme. Telle serait en effet la signification de la prégnance de mythes à résonance continentale, sur les thèmes de l'indépendance (celle du début du XIXe siècle, mais aussi la « deuxième », emmenée par Hugo Chávez), de la révolution et de symboles

* Frédérique Langue est chercheure au CNRS (Mascipo), associée au Ceri.

omniprésents dans l'imaginaire national et continental, de Bolívar au Che.

L'examen du cas vénézuélien, longtemps considéré comme une démocratie atypique entourée de régimes autoritaires – l'« exceptionnalisme » vénézuélien –, implique que soit relativisée l'approche « populiste » du régime de H. Chávez, dont l'accession au pouvoir est, de fait, bien antérieure à celle des autres chefs d'État de gauche du continent, puisqu'elle remonte aux élections de décembre 1998. Le « nouveau populisme autoritaire » (D. Boersner) [1] qui inquiète en cette année d'élections généralisées comme au cours des années suivantes, participe par ailleurs d'un renouvellement à la fois médiatique et stratégique. Ses instruments tactiques comme le paradigme du phénomène populiste s'inscrivent certes dans ce que le chancelier espagnol Miguel Angel Moratinos avait qualifié d'« intense moment de changement politique et social », incitant ses pairs à ne pas dévaloriser ce processus en lui attribuant l'épithète banalisée et quelque peu infamante de « populiste ». Et le rapport Stratfor, d'analyse politique et stratégique, insistait au même moment sur la montée de « gouvernements populistes orientés à gauche ». La diversité des approches conceptuelles, les jugements de valeur, les manipulations médiatiques voire la dimension téléologique ne sont certes pas absents de ces interprétations confrontées au contournement des formes de représentations politiques classiques et à l'apparition « des *outsiders* [...] qui bouleversent les clivages traditionnels et cèdent aux tentations populistes ».

Les années 2006 et 2007 sont marquées par ailleurs par un phénomène apparemment contradictoire mais seulement en apparence : celui d'un retour des problématiques nationalistes (nationalisations des hydrocarbures en Bolivie pour ne citer que cet exemple, conflits frontaliers sur des bases écolo-économiques Argentine/Uruguay etc. [2]). La fragilité de la gouvernance

---

1. Ce texte s'appuie en partie sur notre article de la revue *Hérodote* et en développe certaines hypothèses, les précisant pour la période récente. Il tient compte notamment des derniers développements liés au référendum révocatoire « perdu » par Hugo Chávez en décembre 2007 : « Pétrole et révolution dans les Amériques. Le Venezuela de Hugo Chávez », *Hérodote*, n° 123, 4e trimestre 2007, pp. 41-61, http://www.herodote.org. Numéro spécial « Gauches de gouvernement, gauches de rejet », *Problèmes d'Amérique latine*, n° 55, 2004-2005 ; Nikolas Kozloff, *South America and the Rise of the New Left*, New York, Palgrave Macmillan, 2008 ; Demetrio Boersner, « Gobiernos de izquierda en América Latina : tendencias y experiencias », *Nueva Sociedad*, n° 197, mai-juin 2005, http://www.nuevasoc.org.ve. Dans le même numéro, l'article de Peodoro Petkoff, « Las dos izquierdas », résume l'analyse développée dans l'ouvrage du même titre. Adeline Joffres, « Pour une analyse du concept de populisme », *Nuevo Mundo Mundos Nuevos*, n° 7, 2007, http://nuevomundo.revues.org/index3594.html, et une synthèse très complète de la problématique vénézuélienne y compris dans une perspective historique dans Nelly Arenas, Luis Gómez Calcaño, *Populismo autoritario : Venezuela 1999-2005*, Caracas, CCDH-CENDES, 2006.

2. Voir sur ce point le dossier spécial de *Nuevo Mundo Mundos Nuevos*, 2008 sur le conflit argentino-uruguayen et l'industrie papetière (*papeleras*), http://nuevomundo.revues.org

démocratique se manifeste à cette occasion. La « séduction populiste » ne s'exerce donc pas seulement à l'endroit des leaders et des gouvernements mais en tout premier lieu depuis des médias transformés en caisse de résonance d'un discours anti-politique conçu sur le mode de la rupture portée par un leader charismatique voire messianique. La dénonciation de l'« ancien régime » des partis et de la démocratie représentative tend en effet à occulter des dynamiques spécifiques dont le Venezuela de Hugo Chávez témoigne tout aussi bien, au-delà du contexte de crise et d'antagonismes sociaux qui favorisent – selon l'historiographie sur la question – l'émergence du phénomène populiste et de ce qui a été qualifié d'« autoritarismes plébiscitaires », ou encore le passage à des formes de démocratie participative. Dernier point de cette évolution notable des gauches latino-américaines, fussent-elles radicales : les liens avec la lutte armée, désormais désavoués comme appartenant au passé ou plus précisément à l'« histoire », si l'on considère l'appréciation portée sur les FARC colombiennes par le président Chávez [3].

Aux origines du populisme *criollo* : l'Action démocratique et le consensus des élites civico-militaires

Paradoxalement, celui qui fut l'un des leaders populistes les plus reconnus par la sociologie politique (et accepté, y compris sur le plan international, si l'on considère sa participation à l'Internationale socialiste aux côtés de François Mitterrand), l'ancien président vénézuélien Carlos Andrés Pérez, a laissé une image particulièrement négative de son deuxième gouvernement :

---

3. "The Return of Populism; Latin America", *The Economist*, 15 Avril 2006. Dépêche EFE, Madrid, 24 mai 2006. Rapport Stratfor, 26 mai 2006. Carlos de la Torre, *Populist seduction in Latin America. The Ecuadorian Experience*, Ohio University Press, 2000. Ernesto Laclau, *La razón populista*, México/Buenos Aires, FCE, 2005. Ignacio Walker, « Democracia en América Latina » ; *Foreign Affairs En Español*, avril-juin 2006, http://www.foreignaffairs-esp.org. Pierre-André Taguieff, « Populisme », *Encyclopédie Universalis*, version 11, 2006 (DVD). Dossier « Venezuela : Hugo Chávez, un stratège pour quelle révolution ? », *L'Ordinaire latino-américain*, université de Toulouse-Le Mirail, n° 202 (octobre-décembre 2005), coord. F. Langue, et dans le même numéro, notre article « Hugo Chávez, un stratège pour quelle révolution ? », pp. 5-24. Guy Hermet, « Le populisme comme concept », *Revista de Ciencia Política* (Universidad de Chile), vol. XXIII, n° 1, 2003, pp. 5-18. René Antonio Mayorga, « Antipolítica y neopopulismo en América Latina », *Relaciones* (Montevideo), n° 17, octobre 1997. Voir notre ouvrage *Hugo Chávez et le Venezuela. Une action politique au pays de Bolívar*, Paris, L'Harmattan, 2002. Fernando Coronil, *El estado mágico. Naturaleza, dinero y modernidad en Venezuela*, Caracas, Consejo de Desarrollo Científico y Humanístico de la Universidad Central de Venezuela/Editorial Nueva Sociedad, Venezuela, 2002. Carlos de la Torre, « Masas, Pueblo y Democracia : un balance crítico de los debates sobre el nuevo populismo », *Revista de Ciencia Política*, vol. XXIII, n° 1, 2003, pp. 55-66 (version Internet disponible sur Scielo). Adeline Joffres, « Pour une analyse du concept de populisme », *Nuevo Mundo Mundos Nuevos*, Bibliografías, 2007, http://nuevomundo.revues.org/document3594.html, et sur la nébuleuse conceptuelle, du même auteur : « Le populisme d'Amérique latine en Europe : chronique d'un concept populaire », *Nuevo Mundo Mundos Nuevos*, Cuestiones del tiempo presente, 2008, http://nuevomundo.revues.org/document3628.html

c'est sous ce gouvernement que se produisirent les révoltes populaires de février 1989. « CAP » était alors leader d'un parti, Action démocratique (AD) dont l'histoire est liée à la naissance d'un imaginaire politique nouveau dans les années 1940, à l'apparition des partis politiques modernes et à la mise en place d'institutions démocratiques qui conférèrent au peuple le statut d'acteur politique.

D'inspiration léniniste si l'on considère l'itinéraire politique de ses fondateurs et en particulier de Rómulo Betancourt, AD (fondé en 1941) va impulser la création d'institutions démocratiques, en se fondant sur des principes nationalistes, anti-oligarchiques et égalitaires. La situation est fondamentalement différente de ce que l'on observe à peu près au même moment dans des bastions du populisme, l'Argentine de Perón et le Brésil de Vargas, gouvernés par des leaders charismatiques, ce qui n'était guère le cas au Venezuela [4]. Le vocable *adeco*, qui désigne un membre de ce parti, est d'ailleurs la contraction de *adecomunista*, épithète forgée par la droite vénézuélienne à la suite de la « Révolution d'octobre » (18 octobre 1945), conjuration civico- militaire qui porta AD au pouvoir (Triennat, 1945-1948) [5]. Le « leadership collectif » qui caractérise alors AD va prendre forme dans une action politique, celle de R. Betancourt. Un véritable parti civil avait été créé, s'inscrivant à l'encontre du paradigme du *caudillo* andin, dominant jusqu'au début du XXe siècle. On peut même dire que ce sont désormais deux cultures militaires qui s'affrontent à l'occasion de la « Révolution d'octobre », l'une traditionnelle et expression du pouvoir « personnaliste » exercé par les précédents gouvernements, l'autre professionnelle et annonçant déjà la « symbiose civils-militaires [6] ».

L'influence d'Action démocratique s'affirme pendant des périodes bien précises de l'histoire nationale : le parti accède au pouvoir à la suite du coup d'État du 18 octobre 1945, expression de cette « symbiose civils-militaires »

---

4. Elizabeth Burgos, « Petropopulismo telegénico o mesiasnismo pretoriano : el caso de Venezuela », inédit.

5. Sur cette période et le « père de la démocratie », voir Frédérique Langue, *Histoire du Venezuela de la Conquête à nos jours*, Paris, L'Harmattan, 1999, pp. 310 sq. Manuel Caballero (selección, prólogo, notas), *Rómulo Betancourt. Leninismo, Revolución y Reforma*, México, FCE, 1997 ; du même auteur, *Rómulo Betancourt, político de nación*, Caracas, Alfadil-FCE, 2004. Frédérique Langue « Machiavel et la démocratie au Venezuela ou l'héritage pragmatique de Rómulo Betancourt », *L'Ordinaire latino-américain*, n° 172, université de Toulouse-Le Mirail, avril-juin 1998, pp. 124-128, http://nuevomundo.revues.org/document768.html

6. Domingo Irwin, *Relaciones civiles-militares en Venezuela 1830-1910. Una visión general*, Caracas, 1996 ; du même auteur, « Desde la aparición de las huestes caudillescas del siglo XIX venezolano hasta el fracaso del protagonismo político visible del sector militar en la Venezuela del siglo XX : una síntesis interpretativa », *Tiempo y Espacio*, Caracas, n° 31-32, 1999, pp. 225-257 ; *Relaciones civiles-militares en el siglo XX*, Caracas, Centauro, 2000. Et l'ensemble des contributions publiées dans *Militares y sociedad en Venezuela* (D. Irwin, F. Langue coord.), Caracas, UCAB-UPEL, 2003. N. Arenas, L. Gómez Calcaño, *Idem*, pp. 17 sq.

qui allait marquer durablement le devenir institutionnel et politique du pays. Malgré l'adoption par les précédents gouvernements (Medina Angarita, López Contreras, qui succèdent au « tyran libéral » Juan Vicente Gómez 1908-1935) d'un certain nombre de mesures à caractère démocratique, le suffrage universel n'avait pas été mis en œuvre (les analphabètes en étaient notamment exclus). Pendant le *trienio adeco*, gouvernement « national-révolutionnaire » ou régime « national-réformiste », AD fait adopter une nouvelle Constitution et développe l'enseignement généralisé. Comme l'a souligné Luis Castro Leiva, c'est cependant le « développement de l'idée morale de dictature » – instrument conceptuel inhérent à la théorie républicaine du pouvoir, mais aussi solution du dernier recours, d'après le républicanisme libéral, afin de préserver la liberté et une vie publique irréprochable – qui fut à l'origine du renversement du président élu, Rómulo Gallegos (1948). Puis du cheminement vers la *dictablanda* de Marcos Pérez Jiménez (1952-1958), puis de son renversement (le 23 janvier 1958) et de la mise en œuvre du pacte de Punto Fijo, qui signe le début de 40 années de démocratie au Venezuela. En ce sens, le coup d'État de 1945 signifie bel et bien une rupture avec le passé, déplaçant l'ancienne élite dirigeante formée sous la dictature gomeciste [7].

L'alternance politique entre les deux grands partis, AD et Copei (parti social-chrétien) caractérise cette longue période de stabilité institutionnelle et démocratique, qui contraste avec les régimes autoritaires que l'on observe au même moment sur le reste du continent. Ce « populisme instrumental et discret [8] », non exempt de clientélisme et de corruption, entraîne toutefois la chute du deuxième gouvernement de Carlos Andrés Pérez (1989-1993), malgré un contexte de revenus pétroliers élevés (*Venezuela saudita*), à même de dissimuler les failles de cet État-providence et autorisant une mobilité sociale certaine. Autre particularité de ces quarante années de démocratie : l'absence d'intervention de ce secteur militaire restructuré et modernisé une première fois sous la dictature de Gómez, qui a accompagné mais non influencé le système des partis issu du pacte de Punto Fijo, à la différence des tendances interventionnistes observées sur le reste du continent. Telle

7. F. Langue, *Hugo Chávez...*, pp. 94 et sq : « Le "chavisme", avatar ou négation du 18 octobre ? ». Il faudrait rappeler à cet égard l'importance, pour l'histoire des idées au Venezuela, de la notion de « césarisme démocratique », développée d'ailleurs par un penseur positiviste controversé, qui allait devenir l'un des intellectuels organiques du régime de Gómez, Laureano Vallenilla Lanz : *Cesarismo democrático, Obras completas,* tomo I, Caracas, Centro de Investigaciones Históricas-Universidad Santa María, 1983.

8. Expression de E. Burgos, *op. cit*.

est l'origine de la thèse de l'exceptionnalisme vénézuélien, les situations actuelles tendant, à l'inverse, à rapprocher le Venezuela de ses voisins [9].

Dans ce contexte, le prétorianisme renvoie à une « situation dans laquelle le secteur militaire d'une société donnée exerce une influence politique abusive, recourant à la force ou menaçant de le faire ». D'après le spécialiste de la question (D. Irwin), « le prétorianisme continuerait de se manifester d'une façon latente, en tant qu'arbitre ou plus directement, depuis le gouvernement, bien après la création de l'armée moderne. Les tentatives de coup d'État de 1992 – l'une d'elle eut pour protagoniste Hugo Chávez – seraient ainsi l'expression d'un prétorianisme récurrent du XXe siècle », analyse qui nous conduit tout aussi bien à la tentative de coup d'État perpétrée à l'encontre de Hugo Chávez en avril 2002. Le terme militarisme, d'utilisation plus récente et fortement connoté, renvoie en revanche à une « situation politique dans laquelle le secteur militaire d'une société donnée envahit celle-ci par une sorte de métastase, et parvient ainsi à dominer tous les aspects fondamentaux de la vie sociale ». Le XXe siècle est pour le Venezuela le temps de structuration de l'institution militaire dans un cadre national. Modernisation et professionnalisation des Forces armées (initiées en particulier sous Gómez) sont ainsi les deux constantes de ce processus, plus ou moins marqué selon le gouvernement considéré mais particulièrement visible depuis la décennie 1960. Une « nouvelle version du séculaire accord militaire-civil et politico-militaire vénézuélien » s'était déjà mise en place, le contrôle de l'armée ouvrant la voie à la magistrature suprême au général Eleazar López Contreras (1935-1941), au général Isaías Medina Angarita (1941-1945), au colonel Delgado Chalbaud (1948-1950) et au général Marcos Pérez Jiménez (1952-1958), le projet civiliste du Triennat ne prendra véritablement forme qu'à la fin des années 1970, dans un contexte extrêmement favorable qui est celui de la hausse des prix du pétrole, et par conséquent du Venezuela de la prospérité économique. Les années 1960 inaugurent à cet égard non plus seulement une symbiose civils-militaires, mais une phase d'accommodements. L'institution militaire redéfinit non seulement son rôle mais également ses moyens d'expression. Elle se modernise en se professionnalisant, et renonce de ce fait, et en partie, à son caractère « prétorien », qui ressurgit cependant à la fin du siècle, avec la

9. Michael Coppedge, « Soberanía popular versus democracia liberal en Venezuela », dans Jorge I. Domínguez and Michael Shifter, eds., *Construyendo gobernabilidad democrática* (Johns Hopkins University Press, 2008) ; "Explaining Democratic Deterioration in Venezuela Through Nested Inference", in Frances Hagopian and Scott Mainwaring, eds., *The Third Wave of Democratization in Latin America,* Cambridge, New York, Cambridge University Press, 2005 ; Working Paper #294 Venezuela: Popular Sovereignty versus Liberal Democracy (http://kellogg.nd.edu/faculty/fellows/coppedge.shtml). L'historiographie liée à la « nouvelle gauche américaine », porte-parole de ce que l'on peut considérer comme un chavisme intellectuel se manifestant depuis l'extérieur, inverse les termes de l'analyse dans une perspective apologétique cf Steve Ellner and Miguel Tinker Salas (eds.), *Hugo Chávez and the decline of an "exceptional democracy"*, Lanham, Md. : Rowman & Littlefield Pub., 2007, ou Nikolas Kozloff, *op.cit.*

tentative de coup d'État de 1992 mené par Hugo Chávez, et la radicalisation du régime à partir de l'année 2001 (décrets-lois) et surtout 2002 [10].

Il n'est pas sans intérêt à cet égard de revenir sur l'un des éléments politiques et idéologiques majeurs de ces années 1960, marquées en effet par la « lutte armée ». L'échec de la guérilla aurait été davantage politique que militaire si l'on considère la décision prise en 1964 par les dirigeants du PCV de renoncer à la lutte armée afin de parvenir au pouvoir. Une autre réalité, peu évoquée, est celle, au même moment, d'une alliance des Forces armées avec les secteurs civils radicalisés. La conjonction n'est guère nouvelle dans l'histoire du Venezuela et renvoie indiscutablement à la « révolution de 1945 ». Le point culminant de cette conjonction des forces politiques et militaires est l'insurrection militaire de Puerto Cabello et Carúpano (1962). L'échec de ce type d'insurrection est à l'origine de la création, dans les années 1963-1964, des Forces armées de libération nationale (FALN), et du Front de libération national (FLN) à vocation politique et logistique. Le « foquisme », bénéficiant de l'appui stratégique et logistique de Cuba, va caractériser les années 1964-1968, la « pacification » – aux termes du décret promulgué par le président R. Caldera – intervenant dans la période 1968-1971. Des dissidents du PCV, revendiquant une stratégie électorale et démocratique, fondent alors le MAS (Mouvement vers le socialisme, 1971). L'un de ses fondateurs n'est autre que Teodoro Petkoff, ancien guérillero, ancien ministre, directeur du quotidien *Tal Cual*, qui incarne la critique de gauche au gouvernement de Hugo Chávez [11]. C'est également le moment où les Forces armées vénézuéliennes ont intensifié leur entraînement anti-

10. Domingo Irwin, « Reflexiones sobre el caudillismo y el pretorianismo en Venezuela (1830-1910) », *Tiempo y Espacio*, Caracas, UPEL, 1985, n° 4, pp. 71-91 ; du même auteur : « Una visión histórica de conjunto sobre las relaciones políticas entre los civiles y los militares venezolanos en el siglo XX », Research and Education in Defense and Security Studies Seminars, CHDS-NDU, Washington, mai 2001, http://www.ndu.edu/, Domingo Irwin, *Relaciones civiles-militares en el siglo XX, op. cit.*, pp. 17-22. Frédérique Langue, *Histoire du Venezuela de la conquête à nos jours*, Paris, L'Harmattan, 1999, chap. VI-VII ; *Hugo Chávez..., Idem* ; dossiers Venezuela de *L'Ordinaire latino-américain*, n° 186, 2002, n° 192, 2003, n° 202, 2005, et *Problèmes d'Amérique latine*, n° 65, été 2007. Frédérique Langue, Domingo Irwin : « Révolution bolivarienne et "paix violente". Les relations civils-militaires au Venezuela », *Problèmes d'Amérique latine*, n° 49, été 2003, pp. 7-38, « Militares y democracia ¿El dilema de la Venezuela de principios del siglo XXI? », *Revista de Indias*, n° 231, mayo-agosto, 2004, pp. 549-559. Con Domingo Irwin (coord.), *Militares y sociedad en Venezuela*, Caracas, UCAB-UPEL, 2003, 253 pp. F. Langue, D. Irwin (coord.), *Militares y poder en Venezuela. Ensayos históricos relacionados con las relaciones civiles y militares venezolanas*, Caracas, UCAB-UPEL, 2005. F. Langue, D. Irwin, L.A. Buttó, *Control civil y pretorianismo en Venezuela*, Caracas, UCAB-UPEL, 2006, 228 pp. F. Langue, D. Irwin, H. Castillo, *Pretorianismo venezolano del siglo XXI. Ensayo sobre las relaciones civiles y militares venezolanas*, Caracas, Universidad Católica Andrés Bello, 2007, 393 pp.

11. Voir sa contribution au dossier « Venezuela, révolution dans les institutions ? », *Problèmes d'Amérique latine*, n° 65, été 2007.

guérilla, bénéficiant de l'assistance américaine, étape qui contribue également à une professionnalisation accrue des cadres militaires.

Pour le pouvoir civil, le prix à payer fut relativement élevé et les relations civils-militaires en seront durablement influencées. Les privilèges obtenus par l'institution militaire pour avoir défendu le système démocratique (i.e. augmentation de la solde des officiers de 140 % entre les années 1960 et les années 1970) s'ajoutent aux liens qui se sont tissés entre les dirigeants des partis AD et COPEI, et les chefs de l'armée. Le contrôle civil mis en œuvre à la chute de la dictature (1958) n'est alors qu'illusion d'autant que les Forces armées ont réaffirmé leur rôle dans la gestion des affaires frontalières (essentiellement avec la Colombie, un conflit n'étant jamais exclu par le secteur militaire, y compris aujourd'hui). Les militaires reçoivent aussi une meilleure formation « académique » à l'Académie militaire, d'où viendront les officiers à l'origine de la tentative de coup d'État de 1992, et à l'IAEDEN, Institut des hautes études de la défense nationale (créé en 1969-1970, il constitue une sorte de troisième cycle destiné à former les officiers supérieurs).

L'échec strictement militaire de la guérilla aurait, quant à lui, conduit ses survivants politiques à nouer des liens, d'une part avec le monde universitaire, et d'autre part avec les jeunes officiers. Telle est l'origine de l'une des deux « tendances conspiratrices » identifiées au sein des Forces armées. La première, favorable à une solution autoritaire, est influencée par les thèmes de sécurité, défense et développement. Elle bénéficie de la sympathie d'une certaine élite économique, qu'elle soutiendra en partie lors des élections des années 1980 (dont C. A. Pérez pour AD). L'itinéraire de la deuxième se confond avec celui du Mouvement bolivarien. Les chefs de file en sont les lieutenants-colonels Izarra et Chávez pour le secteur militaire, et Douglas Bravo – alors membre du Bureau politique du PCV – et Pablo Medina pour la sphère civile. Les loges militaires portent les noms de M-83, ARMA et MBR-200 (antécédent du Mouvement Ve République/MVR, parti du président Chávez avant la création du PSUV début 2007). Ces « loges militaires organisées » (l'expression est de D. Irwin) ne se manifesteront violemment qu'en 1992, à l'occasion des deux tentatives de coup d'État, et à la suite de la prise de conscience que représenta pour les jeunes officiers la répression des révoltes populaires de février 1989 [12].

La mise en place du plan Colombie, sous l'égide des États-Unis, vise à lutter contre le trafic de drogue. Prolongé depuis 2005 par le plan Patriote, dans une optique également anti-guérilla, il a contribué à créer un déséquilibre

12. A. Garrido, *Historia secreta de la revolución bolivariana*, Mérida (Venezuela), Editorial Venezolana, 2000, et F. Langue, *Hugo Chávez…*, chap. II (sur la formation du mouvement bolivarien). Alberto Garrido, « La revolución de la guerrilla », *El Universal*, 8 octubre 2005. Domingo Irwin, « Una visión histórica de la actual coyuntura militar venezolana », *L'Ordinaire latino-américain*, n° 202, octobre-décembre 2005, pp. 31-46.

régional flagrant entre le Venezuela et la Colombie. Le Venezuela n'avait accordé son appui à ce plan que lors du sommet de Carthagène (avril 2001). Aucune coordination militaire entre les deux pays n'était prévue. Les risques de débordement de cette guerre interne à la Colombie étaient déjà signalés par les experts. Autre conséquence : celle d'une militarisation de la vie politique vénézuélienne en réponse aux implications militaires manifestes de ce plan [13]. Ce sont les faiblesses de ce type de contrôle civil ainsi que les incertitudes de cette relation de pouvoir qui se trouvent ainsi dévoilées lors des insurrections militaires de 1992, ainsi que de la fausse guerre déclenchée en février 2008, à la suite d'une incursion colombienne en territoire équatorien (à la poursuite des FARC) [14].

Le peuple et son leader, le « pouvoir populaire »

La Constitution bolivarienne de 1999 va consacrer et préciser tout à la fois la nature des relations civils-militaires. L'une des interprétations de la charte constitutionnelle consiste à voir précisément dans les modifications apportées la confirmation de l'autonomie du secteur militaire dans ses relations avec le pouvoir civil. En vertu de la Constitution, les Forces armées accèdent à la citoyenneté : le droit de vote est désormais accordé aux militaires (titre VII). Très critiquée, cette disposition fera dire aux analystes de tout bord que l'armée s'est transformée en parti politique, ce que les faits ne démentent guère (voir les déclarations de militaires « dissidents » tout au long de l'année 2002 et l'occupation de la place Altamira à Caracas). L'armée n'est plus apolitique, non délibérante et « subordonnée au pouvoir civil » comme c'était le cas dans la Constitution de 1961. Sa fonction et sa structure se trouvent désormais définies à l'article 328 de la nouvelle Constitution, significativement intitulé « Force armée nationale ». Un commandement unifié est institué (CUFAN), même si chaque composante conserve un commandement spécifique. Pour la première fois, le thème de la sécurité de la nation est incorporé dans la Constitution, disposition qui contribue à minorer le contrôle que les civils pourraient être appelés à exercer dans ce domaine. Cette question à la charte constitutionnelle est d'ailleurs l'une des plus controversée sur le continent latino-américain. Un fait est cependant à signaler : l'article 326 de la Constitution de 1999 dispose que la sécurité de la nation est fondée sur la « responsabilité conjointe de l'État et de la société ». Le pouvoir civil a désormais perdu une partie de sa capacité de contrôle sur les fonctions dévolues à l'institution militaire : désormais, c'est l'exécutif – à savoir le président de la République en sa qualité de commandant en chef des Forces armées – qui décide des promotions. Dans le même ordre d'idées, les Forces armées sont devenues la seule institution à exercer un

13. Hernán Castillo, « El plan Colombia y las relaciones civiles militares venezolanas », Research and Education in Defense and Security Studies Seminars, CHDS-NDU, Washington, mai 2001. Alberto Garrido, « 2005-2008 », *El Universal*, 21 décembre 2004.

14. Elsa Cardozo, « Reencuentros. El próximo reencuentro con Alvaro Uribe no será una reconcilición más, como las de 2003 y 2005 », *El Nacional*, 22 juin 2008.

contrôle de fait sur l'État. À cela plusieurs raisons, dûment exposées dans la Constitution de 1999 : l'extension des fonctions dévolues aux Forces armées à des domaines de politique intérieure et de développement, et la volonté du président de conférer à des cadres intermédiaires du secteur militaire des responsabilités dans le cadre du gouvernement et de l'administration publique et de l'administration de ressources destinées à des œuvres d'intérêt social (comme en témoigne la mise en œuvre du plan Bolívar 2000). La désignation d'un civil au poste de ministre de la Défense – José Vicente Rangel, qui fut ensuite vice-président – n'a préservé que dans un premier temps l'exercice du contrôle civil. Les vice-président et ministre de la Défense en exercice, Ramón Carrizales et le général en chef Gustavo Reyes Rangel Briceño (a succédé en juillet 2007 au général Raul Baduel, fidèle compagnon de route devenu adversaire déclaré de Hugo Chavez et de son « socialisme du XXIe siècle » notamment depuis le référendum du 2 décembre 2007), appartiennent au sérail militaire [15].

Les nominations même récentes ne font que confirmer la tendance de fond que l'on observe depuis la tentative de coup d'État d'avril 2002 (*los sucesos de abril*) et la grève générale de décembre 2002-janvier 2003 : la présence de militaires dans la haute-administration, y compris à PDVSA, entreprise pétrolière nationale. Un autre fait va dans le sens de la « fusion civils-militaires » évoquée dans les textes fondateurs du mouvement bolivarien et dont la paternité semblerait plutôt revenir à l'ancien guérillero Douglas Bravo, pourtant peu suspect de fraterniser avec la Révolution bolivarienne : la constitution d'une véritable armée révolutionnaire bolivarienne. Celle-ci compterait un million de soldats, soit davantage que les effectifs officiels par le biais de la création de milices, la mobilisation de la réserve – en vue d'une attaque des États-Unis constamment évoquée dans les discours présidentiels (thème de la guerre asymétrique) et la Garde territoriale, toutes trois placées sous le commandement direct du président Chávez. On relève à cet égard une évolution significative des concepts stratégiques utilisés : cette nouvelle armée bolivarienne fondée sur les milices populaires (composante de la « force armée nationale » aux côtés de la « garde territoriale », et placées sous le commandement direct du président de la République, ceci aux termes de la LOFAN ou loi organique des Forces armées, 2005), serait désormais en charge de la surveillance des processus électoraux. Tel est en effet le scénario prévu pour les élections locales de novembre 2008. À la différence du précédent « Concept stratégique de la nation » (2003), le document élaboré en 2006 dépasse le seul domaine de la défense pour englober dans les compétences militaires des domaines extrêmement diversifiés, de la géopolitique à la culture, à la société et à l'économie et à divers niveaux, autant à celui de l'État qu'à celui des municipalités. La Réserve nationale contribue quant

15. L'un des personnages clefs du Mouvement bolivarien. A joué un rôle majeur dans le retour au pouvoir de H. Chávez lors des *sucesos de abril* (tentative de coup d'État en 2002). Raul Isaías Baduel, *Mi solución. Venezuela, crisis y salvación*, Caracas, Ed. Libros Marcados, 2008.

à elle à la mobilisation du citoyen en vue de la défense de la nation. Et si l'on en croit les déclarations du président Chávez, ce sont le « peuple » et la FAN qui doivent, ensemble, construire le PSUV [16].

Nous avons eu l'occasion de souligner que le chavisme n'a rien d'une idéologie mais procède de références multiples, non marxistes – selon H. Chávez lui-même – mais bolivariennes (l'« arbre aux trois racines » fortement présent dans l'imaginaire populaire national : Simon Bolivar [17], Simon Rodriguez et Ezequiel Zamora « général du peuple souverain »), sans compter l'influence du sociologue argentin révisionniste Norberto Cereseole, ardent propagandiste de la relation sans médiation aucune *Caudillo-Ejército-Pueblo*. Le « parti », totalement instrumentalisé dans la perspective de Ceresole, laisse le champ libre au leader, terme que nous préférons à celui de *caudillo*, inutilement connoté du moins si l'on ne le situe pas dans une perspective historique. On peut d'ailleurs s'interroger sur la validité actuelle de cette option, compte tenu des modalités de création du Parti socialiste unifié du Venezuela (début 2007), les réticences de certaines organisations à s'y fondre (ainsi le PCV) et des militants à accepter des décisions « venues d'en haut », notamment lors du choix de candidats aux élections régionales (2008). La concentration du pouvoir est en revanche une réalité qui ne fait qu'aller dans le sens du présidentialisme caractéristique du fonctionnement des institutions vénézuéliennes. Politologues et historiens sont unanimes pour souligner la dimension personnaliste qui préside à l'exercice d'un leadership démocratique puis à celui de la fonction présidentielle et que Rómulo Betancourt avait incarnée plus que tout autre chef d'État. Il s'agit en effet d'un débat constamment renouvelé dans l'histoire des idées politiques et l'imaginaire politique vénézuéliens depuis la dislocation de l'« ordre gomeciste » (1905-1938), et dont les deux termes s'avèrent inconciliables : le caudillisme, en tant qu'expression du personnalisme traditionnel fondé

16. F. Langue, « La révolution chaviste, le temps des radicalisations et de la guerre intérieure – 3 », *L'Ordinaire latino-américain*, n° 192, avril-juin 2003, pp 5-56 ; et avec D. Irwin, « Révolution bolivarienne et "paix violente". Les relations civils-militaires au Venezuela », *Problèmes d'Amérique latine*, n° 49, été 2003, pp. 7-38. Sur l'évolution récente des Forces armées, leur structure, les nouveaux concepts stratégiques et la nouvelle législation militaire, l'article essentiel de D. Irwin, « Les relations civils-militaires au Venezuela. Hugo Chávez Frías et les Forces armées nationales, 1999-2007 », *Problèmes d'Amérique latine*, n° 65, 2007, pp. 63-92. Cet article comprend également les chiffres des effectifs mobilisés et mobilisables. Voir également Alberto Garrido, *Chávez con uniforme*, Caracas, Ed ; de l'auteur, 2007. *El Nacional*, 15 mars 2007.

17. Sur Bolívar, nous renvoyons à l'ouvrage récent de John Lynch, *Simón Bolívar. À Life*, New Haven-London, Yale University Press, 2007 et sur le mythe bolivarien dans le long terme : Frédérique Langue, « Bolívar, Mantuano y Héroe. Representaciones y sensibilidades ante el mito republicano », *Nuevo Mundo Mundos Nuevos*, n° 8, 2008, http://nuevomundo.revues.org/index14632.html

sur des ambitions personnelles et autoritaires, et le leadership politique, caractéristique d'une société moderne et politiquement ouverte [18].

Or, la théorie de Ceresole différencie l'exercice du leadership des applications conservatrices du nationalisme européen. En effet, l'« ordre populaire qui transforme un leader militaire en un dirigeant national ayant une projection internationale a été exprimé non seulement d'une manière démocratique, mais dans un but particulier, celui de la préservation de la culture nationale, mais également de la transformation de la structure sociale, économique et morale ». La « projection internationale » du leader sera la résultante d'un travail constant d'« édification politico-stratégique » et s'appliquera à l'ensemble des mouvements sociaux de la région. L'internationalisation d'un leader charismatique (H. Chávez) est donc perçue comme une garantie contre les tentatives de déstabilisation, intérieure ou extérieure, ce que l'épisode d'avril 2002 tend à confirmer. L'élaboration d'une « intelligence stratégique », indispensable sur le plan intérieur, vise également à ce que « le processus révolutionnaire s'introduise dans les failles du système international et atteigne des niveaux acceptables de sécurité ». D'où l'insistance mise sur un monde « multipolaire », dont l'un des pôles géopolitiques pourrait être précisément celui du Venezuela et des pays de l'OPEP, et dont le Venezuela serait le fer de lance en Amérique latine et dans les Caraïbes. L'intensification des relations diplomatiques et les nombreux voyages présidentiels vont en ce sens. L'accentuation des échanges avec des pays de l'« axe du mal », ainsi l'Iran, la collaboration annoncée dans le domaine du nucléaire civil, et les acquisitions d'armements (Russie) sont particulièrement perceptibles en 2007 et 2008. Cet aspect conduit, dès lors, à relativiser l'option nationaliste attribuée jusqu'à présent aux régimes considérés comme (néo) populistes [19].

Le rôle dévolu au secteur militaire deviendrait, selon E. Burgos, similaire à celui des Forces armées à Cuba ou dans le Chili de Pinochet. Après avoir mis un terme à la lutte armée et après la disparition de l'URSS, les Forces armées du continent ont, dans la majorité des cas, perdu leur statut d'exception et la collaboration qu'elles entretenaient avec les États-Unis. Une opinion publique majoritairement en leur défaveur, le ressentiment à

18. Elías Pino Iturrieta, *Nada sino un hombre. Los orígenes del personalismo en Venezuela,* Caracas, Editorial Alfa, 2007. Juan Carlos Rey, *Personalismo o liderazgo democrático,* Caracas, Fundación Rómulo Betancourt, 2008 (serie Cuadernos de Ideas Políticas n° 5). Voir également l'éditorial d'Emilio Figuredo sur la persistance du personnalisme fondé sur le rejet des partis et la recherche du leader messianique, y compris dans l'opposition, *Venezuela Analítica,* 1er juillet 2008. Simón Alberto Consalvi, « El personalismo, antes y ahora », *El Nacional*, 18 mai 2008.

19. Norberto Ceresole, *Caudillo, ejército, pueblo. La Venezuela del Comandante Chávez,* Madrid, Estudios Hispano-Arabes, 2000. Alberto Garrido, *Mi amigo Chávez. Conversaciones con Norberto Ceresole*, Caracas, Ed. del autor, 2001, http://www.analitica.com, (principaux textes de Ceresole dans la Bitblioteca). Alberto Garrido, *Guerrilla y conspiración en Venezuela*, Caracas, Ed. del Auteur, 1999. E. Burgos, *idem.* Sur le « partenariat stratégique » entre l'Iran et le Venezuela dans un esprit de non-alignement, voir Elodie Brun, *Les relations entre l'Amérique du sud et le Moyen-Orient*, Paris, L'Harmattan, 2008.

l'encontre des États-Unis (voir le « déclassement » récent d'archives révélant leurs exactions en matière de violations des droits de l'homme pendant la répression de la guérilla notamment) ont fait que leur victoire sur le plan pratique, strictement militaire, n'a pas été assortie d'une victoire sur le plan politique. Sur le plan national, le bilan du « populisme révolutionnaire » de Hugo Chávez demeure quelque peu contrasté. La « paix violente » est une dimension vécue au quotidien par l'opinion publique (insécurité, voire limitations à l'exercice de certaines libertés, ainsi de presse, selon la SIP et l'opposition), y compris au niveau international (voir la fausse guerre des premiers mois de 2008 avec la Colombie et les menaces réitérées à l'encontre des États-Unis). La politique extérieure se fonde en effet sur une diplomatie pétrolière, incluant l'aide aux alliés, Cuba, Nicaragua, Caricom, et en tout état de cause une solidarité certaine avec les pays de l'ALBA (à hauteur de 32 000 millions de dollars au bénéfice de 6 pays et 241 projets), mais fortement dépendante des prix du baril, dans un contexte fragilisé par l'insuffisance des investissements réalisés dans l'industrie pétrolière [20]. Malgré des bilans économiques et sociaux réels, fondés en particulier sur les « missions », des organismes comme la CEPAL pointent la fragilité structurelle du pays. Des élus, des partisans du « processus », et désormais du « socialisme du XXIe siècle », déplorent l'insuffisance des mesures prises sur le plan intérieur. De nombreux programmes (« missions ») ont certes été mis en place en faveur des catégories sociales les plus défavorisées et le « plan de développement économique et social 2007-2013 » suivant un modèle socialiste, a été validé. Le gouvernement est cependant confronté à une situation économique dégradée. Malgré l'adoption du « Bolívar fort », et une série de nationalisations dans des secteurs très variés de l'économie nationale, le contrôle des prix et des changes entraîne un déficit des produits de consommation et de certaines denrées alimentaires de base. La gestion des richesses pétrolières se trouve compromise par les aides apportées à des pays tiers. La nouvelle monnaie et la hausse des prix du pétrole ne contribuent guère à contenir l'inflation (22,5 % en décembre 2007, selon la Banque centrale) [21].

Ce « populisme révolutionnaire », « entre l'autoritarisme et le non-gouvernement » que nombre d'électeurs ont approuvé à l'occasion de neuf scrutins dont trois élections présidentielles (1988, 2000, 2006), avant de descendre dans la rue (des centaines de milliers de personnes, issues pour l'essentiel des classes moyennes dans les premières années du régime) bénéficie encore de l'appui du tiers de l'électorat issu des classes populaires. Les résultats du référendum d'août 2004 ou encore le sondage de

20. Un suivi sur http://www.petroleumworld.com/, Alfredo Keller, « Populismo institucional y populismo revolucionario en Venezuela », *Diálogo Político*, n° 2, 2004, http://www.kas.org.ar/, *Tal Cual*, 6 octobre 2008.

21. Site de la CEPAL, http://www.eclac.cl/, voir l'analyse critique de Norman Gall, « El nuevo régimen de Venezuela », *El País*, 1- « La dudosa obra de Chávez » 2- « El caos petrolero » 27 mars & 28 mars 2006. José Manuel Calvo, « El triunfo del populismo petrolero », *El País*, 2 mai 2006.

septembre 2005, qui confère au président Chávez une côte de popularité de 61 %, sont explicites sur ce point, ainsi que sur la capacité de mobilisation dudit électorat, à la différence de celui de l'opposition. La polarisation de l'opinion publique demeure une constante, avec 59 % en faveur de H. Chávez – dont 30 % d'inconditionnels – et 41 % en faveur de l'opposition malgré la très faible mobilisation enregistrée lors des élections municipales du 7 août 2005 (69,19 % d'abstention). Le référendum du 2-D (2 décembre 2007) portant sur la modification de la Constitution bolivarienne, constitue le premier revers enregistré par le président Chávez. Les amendements ou nouveaux articles proposés ont été refusés par 50,7 % des électeurs contre 49,3 %, et 51,1 % contre 48,9 % (pour les deux « blocs » de propositions). Contrairement aux conclusions hâtivement tirées par certains médias, ce référendum n'a pas valeur de remise en question de la politique du président Chávez. À l'exception de trois d'entre elles – la réélection indéfinie, la suppression de l'autonomie de la Banque centrale et la déclaration d'états d'exception avec un moindre contrôle législatif et judiciaire sur leur durée et leurs modalités –, toutes les dispositions prévues ont été adoptées, dès les premiers mois de l'année 2008. Tel est le cas de la création de « territoires fédéraux » en lieu et place des régions et que gouverneraient des mandataires nommés par décret présidentiel, ou encore des promotions militaires et des 26 lois adoptées par l'Assemblée nationale dans le même temps, et qui confortent le pouvoir de l'exécutif en régulant directement des domaines tels que la finance, la banque, la production de biens et services ou l'économie (secteur agroalimentaire et « économie populaire »). Le secteur militaire n'est pas oublié, puisqu'une nouvelle version de la loi organique de la force armée nationale *bolivarienne* (LOFAB) a vu le jour, portant création de la Force armée nationale bolivarienne, et consacrant notamment l'existence du Commando stratégique opérationnel et de la Milice nationale bolivarienne, placés sous la direction du commandant en chef. Depuis janvier 2007, le président Chávez disposait en effet du pouvoir de légiférer par décret (loi habilitante) [22].

Cette disposition lui avait été accordée par une Assemblée nationale exclusivement composée d'élus de son parti, le Movimiento V República (MVR) et de petits partis alliés, l'opposition ayant boycotté le scrutin législatif du 4 décembre 2005. Il est donc essentiel de souligner que ce revers ne signifie pas véritablement une victoire pour l'opposition ou le feu de paille du mouvement étudiant, très actif dans les mois précédant le référendum. Ce véritable plébiscite perdu témoigne en revanche d'un déplacement de l'abstention (45 %) des rangs de l'opposition à celle des « chavistes », et, plus paradoxalement, d'un consensus des deux parties en présence en faveur de la Constitution bolivarienne, ainsi que de profondes divisions internes au mouvement chaviste, particulièrement manifestes à la veille des élections locales du 23 novembre 2008. Davantage : malgré les difficultés rencontrées dans la création du Parti socialiste unifié (PSUV) au début de l'année – le PCV et *Podemos* tendent ainsi à constituer un « troisième pôle » sur la scène politique –, les divergences

22. *El Nacional*, 5 août 2008.

internes, la phase de radicalisation annoncée tactiquement aussi bien après le référendum de 2004 qu'après les élections présidentielles de décembre 2006, a valeur de « Révolution dans la révolution ». Sur le terreau de ce que l'ancien chancelier Emilio Figueredo a qualifié de « culture anti-partis », le leadership de H. Chávez demeure reconnu, comme en témoignent les déclarations du secrétaire général de Patria para Todos, Rafael Uzcátegui, ou de celui du PCV, Oscar Figuera, pendant l'été 2008 [23].

Le contexte hémisphérique

Des commentateurs signalent toutefois la légitimité des préoccupations gouvernementales devant une intervention étrangère au Venezuela, au-delà des « déchiffrages » de l'intervention américaine au Venezuela, opportunément publiés par les partisans de la Révolution bolivarienne aux États-Unis même. La frontière la plus instable reste en effet la région andine dans son ensemble, et plus encore la frontière qui sépare le Venezuela de la Colombie, dans un contexte continental aux conflits potentiellement multiples compte tenu de revendications frontalières en suspens et de la question de la guérilla colombienne (notamment des FARC). Or, aussi bien la Colombie que les États-Unis, sont à l'origine du plan Colombie (2000-2005) puis Patriote (2006-2007), de lutte contre la guérilla et le trafic de drogue. En d'autres termes, les pays frontaliers sont tenus de souscrire des accords afin de lutter contre le terrorisme ou la guérilla, ce dont le Venezuela s'est toujours abstenu. Le Brésil lui-même est signataire du plan Cobra, qui complète le plan Colombie. D'après A. Romero, la politique extérieure du Venezuela comporte désormais une faille qui résulte du décalage persistant entre le renforcement – prioritaire – du régime d'une part, fondé par ailleurs sur le pouvoir que confère la manne pétrolière, et les intérêts de la nation d'autre part [24]. Ce décalage n'est guère récent puisqu'on le trouve dans la formulation de la Doctrine Betancourt, qui, en une sorte de prélude à la Charte démocratique interaméricaine, impliquait que le Venezuela interrompe ses relations diplomatiques avec tout pays dont le gouvernement serait issu d'un coup d'État. La conjonction du messianisme bolivarien et des hauts

---

23. Pour les étapes tactiques de la Révolution et sa diffusion continentale, cf. F. Langue « Pétrole et Révolution dans les Amériques… », *op. cit.* María Teresa Romero, « Populisme revolucionario », *Visión Venezolana*, 15 septembre 2004 ; *El Nuevo Herald*, 14 novembre 2003. « Entre el autoritarismo y el desgobierno » : l'expression est d'Alfredo Ramos, « Sobrevivir sin gobernar. El caso de la Venezuela de Chávez », *Nueva Sociedad*, n° 193, septembre-octobre 2004, pp. 17-27. Chiffres officiels toutes élections (CNE), http://www.cne.gov.ve/, Agustín Blanco Muñoz, *Habla el comandante*, Caracas, UCV, 1998, pp. 623-624. Éditorial d'Emilio Figueredo, *Venezuela Analítica*, 1er août 2008. *Tal Cual*, 5 août 2008. Angel Alvarez, « Venezuela ¿La Revolución pierde su encanto ? », *Revista de ciencia política*, n° 28/1, 2008, pp. 405-432. Carlos Romero, « Le Venezuela : une société en mutation », *Problèmes d'Amérique latine*, n° 65, 2007, pp. 11-31.

24. « Venezuela ¿petróleo, arma política ? », BBC Mundo (Redacción), 27 avril 2006. Herminia Fernández, « Cifras de unas relaciones tormentosas », *Tal Cual*, 7 avril 2005. Sur les relations avec Cuba, voir Elizabeth Burgos, « Paralelismos cubanos en la Revolución bolivariana », *L'Ordinaire latino-américain*, n° 202, octobre-décembre 2005, pp. 61-81.

prix du pétrole ont accentué cette tendance à multiplier les engagements extérieurs dans les domaines financiers et politiques (en Argentine, dans la Bolivie d'Evo Morales, en offrant du pétrole gratuit aux « pauvres » des États-Unis ou de Londres). La rhétorique anti-impérialiste et révolutionnaire, la dénonciation du « néolibéralisme sauvage » ont certes modifié la nature des relations existant avec les États-Unis, fondées sur une association stratégique faisant alterner tensions rhétoriques et relations « cordiales », inspirées par un « pragmatisme pétrolier » incontestable [25].

Le discours chaviste n'est donc plus seulement affaire de rhétorique et la « paix violente » une caractéristique d'une scène politique intérieure vénézuélienne, caractérisée par la faiblesse mais non l'inexistence du contrôle civil sur les Forces armées (en l'absence de péril extérieur) comme le souligne David Pion-Berlin. Un ancien responsable américain évoque ainsi la nécessité de contrôler l'« axe subversif » formé par le Venezuela et Cuba avant que d'autres démocraties de la région ne soient affectées par cette « subversion ». Le pétrole – et par conséquent les menaces de suspension de l'approvisionnement aux États-Unis – devient ainsi l'arme privilégiée d'une guerre asymétrique qui impliquerait l'allié cubain, les mouvements de gauche du continent, voire certains gouvernements contre l'alliance Colombie-États-Unis symbolisée par les plans Colombie et Patriote, le tout dans une perspective de « défense intégrale » civico-militaire [26].

Socialisme versus démocratie ?

L'« ambiguïté du populisme latino-américain » tiendrait, selon P.A. Taguieff, à sa faculté de manipulation des « masses », des classes populaires qui accèdent

---

25. Eva Gollinger, *El código Chávez. Descifrando la intervención de los Estados Unidos en Venezuela,* La Habana, Editorial de Ciencias Sociales, 2005. Carlos Romero, "The United States and Venzuela. From a Special Relationship to Wary Neighbors", dans J. McCoy-D. J. Myers ed., *The Unraveling of Representative Democracy in Venezuela,* Baltimore-London, The Johns Hopkins University Press, 2004, pp. 130-151. Elsa Cardozo, « La política exterior autoritaria y antiimperialista », *Vision Venezolana*, 15 juin 2004, http://www.visionvenezolana.com. Carlos Malamud, « El aumento de la conflictividad bilateral en América Latina : sus consecuencias dentro y fuera de la región », ARI, n° 61, 2005, 15 mai 2005, et Diego B. Urbaneja, « La política exterior de Venezuela », ARI, n° 41, 2005, 31 mars 2005, http://www.realinstitutoelcano.org

26. Hugo Chávez, *El destino superior de los pueblos latinoamericanos. Conversaciones con Heinz Dieterich*, Caracas, Alcaldía de Caracas, 2004, pp. 75 et sq., 125 et sq. Alberto Garrido, *La guerra asimétrica de Chávez, Idem*, pp. 99-100. Elizabeth Burgos, « La vía multipolar », *Encuentro en la red,* 18 janvier 2005, http://www.cubaencuentro.com. BBC Mundo, 9 mars 2004. *El Nuevo Herald,* 16 janvier 2005. Boris Otto Reich (ancien secrétaire d'État adjoint pour les relations hémisphériques), « Latin America's Terrible Two Fidel Castro and Hugo Chavez constitue an axis of evil », *National Review*, 11 avril 2005. David R. Mares, *Violent Peace. Militarized Insterstate Bargaining in Latin America*, New York, Columbia University Press, 2001. Site du CNE, http://www.cne.gov.ve/, David Pion-Berlin, « Militares y democracia ne el nuevo siglo », *Nueva Sociedad*, n° 213, janvier-février 2008.

de la sorte à l'existence politique, et au « processus d'intégration de celles-ci dans le système politique qui jusque-là les excluait ». Le même auteur insiste sur la valeur d'« éclairage » de ce « cas prototypique » latino-américain au XXe siècle, ses avatars oscillant entre fonctionnement démagogique et vocation protestataire. Ces caractéristiques liées à une « représentation-écran », réduiraient le phénomène à « une grossière manipulation symbolique des masses [27] ». Si cette caractérisation pouvait en partie s'appliquer aux populismes du début du XXe siècle, il reste que les manifestations actuelles du (néo) populisme en Amérique latine ne présentent que peu de similitudes avec un modèle théorique correspondant sans doute mieux à un contexte européen tout aussi déroutant pour ses exégètes.

Le même auteur insiste cependant et à juste titre sur la dimension émotionnelle du populisme comme mécanisme de cohésion, et d'identité, mais souligne que pour cette même raison, le populisme n'a que faire des programmes : là aussi, le cas vénézuélien tend à démentir cette appréciation. Hugo Chávez a été qualifié à ses débuts médiatiques et pendant les premiers mois de son mandat, de « mage des émotions ». Mais la Révolution bolivarienne comporte des étapes, a aussi un agenda – le « socialisme du XXIe siècle » –, avec une propension continentale symbolisée par les références à la geste bolivarienne et concrétisée par des alliances politiques, économiques, énergétiques diverses. Un commentateur a même très récemment évoqué la « guerre asymétrique du pétrole » qui se profilerait en cas de suspension des envois de pétrole aux États-Unis (une augmentation de 15 % du prix du baril sera alors à prévoir). Le leadership de H. Chávez n'est en ce sens plus seulement national mais régional, aux accents parfois messianiques (« le succès de notre Révolution sauvera le monde »). La Révolution bolivarienne présente également une dimension d'efficacité attestée par ses relations privilégiées avec les Forces armées, relations qui ne sont nullement ambiguës – comme l'avait soutenu N. Arenas dans un éclairant article de synthèse – mais sont devenues en revanche particulièrement explicites et parfaitement assumées. Ces réflexions montrent que les résultats des élections présidentielles latino-américaines ne peuvent servir d'excuse au manichéisme simpliste qui consiste à opposer populismes et libéralisme/démocratie, le nord au sud, les pays concernés à leur passé ou à une quelconque inertie politique régionale alors qu'ils se revendiquent comme acteurs de leur propre changement [28].

---

27. Pierre-André Taguieff, « Le populisme et la science politique du mirage conceptuel aux vrais problèmes », *Vingtième siècle. Revue d'histoire*, 1997, Vol. 56, n° 56, pp. 4-33. Disponible sur http://www.persee.fr et article universalis.

28. Domingo Irwin et Luis Alberto Buttó, « "Bolivarianismos" y Fuerza Armada en Venezuela. Los bolivarianismos en la mirada de las ciencias sociales », *Nuevo Mundo Mundos Nuevos*, n° 6, 2006 : http://nuevomundo.revues.org/document1320.html, N. Arenas, *Idem*. Harry Balckmouth, « La guerra asimétrica del petróleo », *Tal Cual*, 16 juin 2006. *Foreign Affairs Magazine*, « In search of Hugo Chávez », mai-juin 2006. Joaquim Ibarz, « Chávez asume el liderazgo en la región y se reúne con Morales en La Paz », *La Vanguardia*, 4 mai 2006. « Chávez : Exito de nuestra Revolución salvará al mundo », *El Nacional*, 21 mai 2006. Voir l'intéressant commentaire de Cristopher Ballinas Verdes, « De democracias e izquierdas en América Latina », *Gobernanza. Revista Internacional para el desarrollo humano*, Edición 47, 13 juin 2006 : http://www.iigov.org

À l'opposé pourrait-on dire de cette vision restrictive mais dans une certaine mesure lénifiante du populisme latino-américain, un spécialiste de philosophie politique, le sociologue et historien argentin Ernesto Laclau, auteur d'un ouvrage au titre provocateur, *La razón populista*, aurait tenté de « sortir de la marginalité ce phénomène-clef de l'histoire latino-américain [29] ». Refusant l'interprétation « démagogique », Laclau se refuse à penser ce phénomène comme une dégradation de la démocratie et dénonce à cet égard les critiques « technocratiques » du phénomène. Il permettrait en revanche d'élargir les bases démocratiques de la société, en incorporant au système politique les « masses populaires » et générant de nouveaux leaderships, dépourvus d'orthodoxie du point de vue libéral. Le populisme serait alors « une façon de penser les identités sociales, un mode d'articulation de demandes diverses, une manière de construire le politique », il constituerait même une garantie à l'exercice de la démocratie, en évitant que celle-ci ne se transforme en une simple administration. Dès lors, le populisme n'est plus un contenu mais une forme, qui ne comporte pas d'idéologie précise (ce qui est effectivement le cas du « chavisme »). C'est en ce sens que le philosophe s'est insurgé contre l'interprétation anti-démocratique appliquée au gouvernement de Hugo Chávez [30]. L'identification conjoncturelle avec le leader et par là même, le leadership démocratique – revendiqué ou non comme tel – qui s'instaure sont, dans cette perspective, parties intégrantes de la relance du « projet émancipateur du XXIe siècle » et d'un modèle politique d'un nouveau genre [31]. Ce modèle politique est en effet indissociable de facteurs tels qu'un imaginaire rédempteur, un prétorianisme récurrent et une autonomie de l'État fondée sur la rente pétrolière, mais tout aussi bien facteur de fragilité institutionnelle d'après J.-C. Rey. L'immédiateté des populismes est également présente, et liée à la relation sans médiation entre le dirigeant et son peuple, plus qu'à la synergie institutions/démocratie. La disparition des forces protestataires aurait pour conséquence la formation d'un populisme de droite, tel qu'on a pu l'observer dans certains pays européens, sans compter les incertitudes présidant aux destinées des partis de gauche. Plus récemment, certains politiques, à l'instar d'une ancienne vice-présidente du Costa Rica,

---

29. Ouvrage publié en 2005 par le FCE. Carolina Arenes, « Ernesto Laclau: "El populismo garantiza la democracia" », *La Nación* (Buenos Aires), 10 juillet 2005. Voir également Flavia Costa, « El fervor populista », *Clarín/revista*, 21 mai 2005. « Entrevistas a Ernesto Laclau », *Cuadernos del Cendes*, Caracas, vol. 22, n° 58, janvier 2005. Disponible sur http://www.scielo.org, voir également la critique sans concession de Jesús Silva-Herzog Márquez dans *Letras libres* (Mexique), juin 2006, http://www.letraslibres.com

30. Ernesto Laclau, « La rupture populiste et le centre gauche latino-américain », 20 novembre 2007, publié sur le site Réseau d'information et de solidarité avec l'Amérique latine, http://risal.collectifs.net/spip.php?article2247

31. Sur la difficulté à situer le gouvernement de H. Chávez dans la rubrique « néopopuliste » (leadership de type *outsider*, épuisement du modèle politique précédent, structure juridique libérale dans les premières années d'exercice du pouvoir...) ou en revanche dans celle des « vieux populismes » ou « populismes classiques » de type Perón (interventionnisme, politique distributive, nationalisme, anti-impérialisme), cf. N. Arenas, L. Gómez Calcaño, *Idem*, p. 155.

ont récusé la référence populiste, lui préférant celle de « nouvelle donne » (*New Deal*). La validité de l'interprétation du populisme « multi-niveaux » telle qu'elle a été avancée, n'en est à cet égard que plus pertinente. Et plus encore dans le contexte des élections américaines, alors qu'un éditorial du *Washington Post* n'hésite pas à sommer les pays latino-américains et plus particulièrement les leaders populistes de choisir entre le « socialisme à moitié cuit de Chávez » et la « démocratie du XXIe siècle », invoquant la dépendance de ces derniers à l'égard des États-Unis, « contrairement à la rhétorique de leurs leaders [32] ».

32. Juan Carlos Rey, « Este gobierno es peligroso porque es inestable por naturaleza » (entrevista), *El Nacional*, 15 juin 2008. « Il n'y a pas de tendance au populisme » en Amérique latine. Ex vice-présidente du Costa Rica entre 1994 et 1998, Rebeca Grynspan analyse la situation démocratique et sociale en Amérique latine (Christian Losson), *Libération*, 9 octobre 2007. Hervé do Alto, « Del entusiasmo al desconcierto. La mirada de la izquierda europea sobre América Latina y el temor al populismo », *Nueva Sociedad*, n° 214, mars-avril 2008. Joffres, « Le populisme d'Amérique latine en Europe : chronique d'un concept populaire », *Nuevo Mundo Mundos Nuevos*, n° 8, 2008, http://nuevomundo.revues.org/index3628.html *Washington Post*, "A Choice for Latin America. Should the United States continue to subsidize governments that treat it as an enemy?", 6 octobre 2008.

Battre campagne avec le « président légitime » du Mexique Carnet de terrain

Hélène Combes *

Fin 2006, au Mexique, alors que Felipe Calderón est officiellement investi comme président de la République devant le Congrès de l'Union, Andrés Manuel López Obrador est désigné « président légitime » devant ses partisans réunis place du Zócalo lors de la Convention nationale démocratique [1]. Suite à un écart de voix extrêmement réduit entre ces deux candidats lors de l'élection présidentielle de juillet 2006 (0,58 % des voix) et des soupçons de fraudes, López Obrador – candidat d'une coalition nommée « Pour le bien de tous » et composée du Parti de la révolution démocratique (PRD), de *Convergencia* et du Parti du travail (PT) – ne reconnaît pas la victoire de Felipe Calderón – candidat du Parti action nationale (PAN) – annoncée par l'Institut fédéral électoral sur la base d'un premier recompte

* Hélène Combes est chargée de recherche au CNRS, rattachée au Centre de recherches politiques de la Sorbonne (CRPS, université Paris I). Elle coordonne actuellement un projet collectif, avec Sergio Tamayo (UAM-A, Mexico) sur l'action protestataire à Mexico et est, par ailleurs, coordinatrice du Groupe d'études sur les partis et organisations politiques (GEOPP) de l'Association française de science politique (www.geopp.org).

1. La « Convention nationale démocratique » a réuni les sympathisants de López Obrador. Terme repris de la révolution méxicaine, il a aussi été mobilisé par les zapatistes en 1994. Des conventions démocratiques ont aussi été organisées à l'échelle des États fédérés, l'objectif étant de fournir un espace d'engagement au mouvement de contestation contre les élections.

partiel des procès verbaux [2]. Un immense campement (*mega-platón*) investit le Zócalo, une partie du centre historique et l'avenue Reforma. En septembre, López Obrador rejette également la décision finale du Tribunal électoral. Le campement est levé mais le mouvement se structure désormais autour de la Convention démocratique. Cette dernière, en novembre [3], investit López Obrador dans un grand cérémonial « républicain ». Deux figures du monde intellectuel de gauche [4] remettent à López Obrador le document « officiel » de sa nomination comme « président légitime ». Enfin, Rosario Ibarra, grande figure de la gauche mexicaine – mère d'un guérillero disparu dans les années 1970, ancienne candidate trotskiste à la présidence de la République, fervente zapatiste et sénatrice du PRD –, le drape de son écharpe d'élu. López Obrador prête ensuite serment sur la Constitution et s'engage à « protéger les droits du peuple, [à] défendre le patrimoine et la souveraineté nationale ». Vingt mesures du « gouvernement légitime [5] » sont alors proposées parmi lesquelles: la refonte du cadre institutionnel à travers un plébiscite, la lutte contre les monopoles – notamment des médias – la défense des services publics – électricité, université publique gratuite, secteur de la santé –, la défense de la compagnie nationale Pemex contre les privatisations, le refus de la TVA sur les médicaments, « la défense des salaires justes », la lutte contre la délinquance des « cols blancs », la promotion d'une pension généralisée pour les personnes âgées, etc.

Ce « gouvernement légitime » repose sur un « vaste réseau de représentants sur tout le territoire national qui seront appelés à se mobiliser au cas où la droite souhaiterait commettre une injustice ou commettre un acte antipopulaire [6] ». Il

---

2. Je ne reviendrai pas plus précisément sur le contexte de l'élection présidentielle de juillet 2006. Pour le détail sur ces élections, voir Alberto Aziz Nassif, « Élections et polarisation au Mexique », dans Olivier Dabène (dir.), *Amérique latine, les élections contre la démocratie?*, Presses de Sciences Po, Paris, 2007; « México 2006: elecciones y polarización política », *Desacatos*, n° 24, mai-août 2007; « Procesos electorales: incertidumbre, contingencia y riesgo en la elección presidencial », *El Cotidiano*, n° 141, avril 2007; dossier « Mexique: l'incertitude démocratique », *Problèmes d'Amérique latine*, n° 64, printemps 2007. Soulignons juste, en reprenant les analyses du politiste José Antonio Crespo que, malgré la décision du Tribunal électoral, il était impossible de déterminer rigoureusement le vainqueur de cette élection : le nombre de bulletins de vote annulés (pour différentes raisons) est plus de trois fois supérieur à la différence de voix entre les candidats. Pour José Antonio Crespo, sans entrée dans le débat de savoir s'il y a eu fraudes ou pas, et, en respectant le principe simple « le gagnant d'une élection est celui qui a obtenu 50 % des voix plus une voix », il est impossible de déterminer qui a été le vainqueur. José Antonio Crespo, *2006 : hablan las actas,* Debate, México, 2008.

3. Andrès Manuel López Obrador choisit pour son « investiture » le 20 novembre, « jour de la révolution ». Felipe Calderón ne reçoit l'investiture du législatif que quelques jours plus tard, le 1er décembre, au milieu des protestations des 156 députés de « la Coalition pour le bien de tous », nom de la coalition électorale qui a ensuite donnée naissance au Front ample progressiste (FAP). Les députés panistes et perredistes en viennent même aux mains en pleine cérémonie.

4. Jesusa Rodríguez, actrice et metteur en scène, connue notamment pour son engagement auprès des zapatistes, et Elena Poniatowska, écrivain.

5. http://www.amlo.org.mx/

6. http://www.jornada.unam.mx/2006/11/21

est composé de douze « ministres », six hommes et six femmes [7], compagnons de plus ou moins longue date du PRD et principalement issus de l'équipe municipale de López Obrador à la mairie de Mexico (2000-2006) : plusieurs avaient assumé des portefeuilles clés dans l'administration de la ville. Le « gouvernement légitime » fonctionne en fait comme un « cabinet fantôme » relativement classique : « les ministres » prennent position sur les thèmes débattus au sein du législatif. Par exemple, le « ministre de l'Économie », fin décembre 2006, prend position contre la loi de budget, dénonce la réduction drastique du financement des universités publiques et propose un « plan de défense de l'économie ».

La création du « gouvernement légitime » s'inscrit dans une relation complexe de López Obrador avec le PRD. Tout d'abord, les principaux cadres du PRD n'ont pas été intégrés dans l'équipe de López Obrador qui a choisi ces collaborateurs parmi les membres de son équipe municipale. De plus, la mise en place du « gouvernement légitime » a été accompagnée par la création du Front ample progressiste (FAP) qui, au sein du législatif, réunit le PRD mais aussi deux petits partis ayant pris part à la coalition autour de sa candidature : le Parti du travail (PT) et Convergence. À côté de ce travail de « cabinet fantôme », López Obrador organise une grande tournée dans tout le pays : « Mon gouvernement sera itinérant, explique-t-il, lundi, mardi et mercredi, il sera dans la ville de Mexico mais de jeudi à dimanche il sillonnera les deux mille cinq cents municipalités du pays pour convoquer tous les représentants du gouvernement légitime, pour qu'ensemble nous défendions le peuple et le patrimoine national [8] ».

L'objectif de cet article est double. Tout d'abord, je souhaite, à travers une chronique de terrain [9], décrire précisément un répertoire d'action [10]

---

7. « Ministres » des « Relations politiques », des « Relations internationales », de la « Justice et de la Sécurité », du « Développement économique et écologique », de l'« Honnêteté et de l'austérité républicaine », de l'« Économie », du « Travail », du « Patrimoine national », de l'« État-providence », de l'« Éducation, des sciences et de la culture », du « Développement urbain et du logement ».

8. http://www.jornada.unam.mx/2006/11/21. Une souscription nationale est lancée pour financer le « gouvernement légitime ». On peut déposer de l'argent sur le compte « Honnêteté vaillante », slogan de campagne de AMLO en 2000 pour la mairie de Mexico. Les coordonnées bancaires sont disponibles sur le site : http://www.amlo.org.mx/. Les députés et sénateurs verseront 10 % de leur salaire. Chaque « ministre » sera ainsi payé.

9. Cette chronique de terrain repose sur le suivi des activités de López Obrador lors d'une tournée sur le terrain et sur l'observation de 21 meetings dans des petits municipes ruraux et de grands municipes urbains de l'État de Mexico en décembre 2007. Lors de cette tournée, j'ai été intégrée dans l'équipe du « gouvernement légitime ». En plus de l'observation des activités, ont été réalisés des entretiens fugaces avec une vingtaine de participantes surtout dans les zones rurales, environ 400 photographies « ethnographiques » et de nombreuses discussions avec la majorité des membres de l'équipe du « gouvernement légitime ». Ce travail s'appuie par ailleurs sur une connaissance de longue date du Parti de la révolution démocratique, parti sur lequel j'ai réalisé mon doctorat.

10. Pour Charles Tilly, le répertoire d'action désigne « les moyens établis que certains groupes utilisent afin d'avancer ou de défendre leurs intérêts ». Charles Tilly, *La France conteste de 1600 à nos jours,* Fayard, Paris, 1986.

spécifique qu'est celui de la constitution d'un « gouvernement parallèle » en montrant un volet précis de ses activités : la présence dans les municipalités. De plus, à travers l'analyse de ce répertoire, il s'agira de comprendre les logiques de concurrence entre le leadership de López Obrador et le PRD et ses tentatives d'émancipation du cadre partisan.

CONSTRUIRE *LA GIRA*

Tournée (gira) *dans l'État de Mexico (Edomex)* [11]

Une semaine avant le début de la *gira*, réunion à Mexico au siège du FAP. Le petit amphithéâtre de cet ancien siège du PRD national, cédé au FAP, est quasiment plein : environ 150 personnes. À la tribune, Edmundo Cansino – le responsable de la *gira* pour l'État de Mexico (Edomex), représentant de la Convención nationale democrática (Convention nationale démocratique) pour l'Edomex et personne qui compte désormais dans l'entourage de López Obrador [12] – est accompagné d'un représentant de chaque parti – PRD, PT, Convergencia. Chacun arbore un pin's aux couleurs de son organisation, façon de montrer la diversité dans l'unité.

On est là pour organiser la *gira* de la manière la plus précise possible : 26 meetings auront lieu dans 26 municipalités différentes. Rien ne doit être laissé au hasard. Par ordre alphabétique, chaque municipalité est appelée : les militants présents déclinent leur nom, prénom, affiliation partisane et fonction dans le parti. Précisons d'emblée que malgré la présence des différents partis à la tribune, dans la salle, à quelques exceptions près, les troupes sont perredistes (du PRD). Ce qui frappe dès le premier abord mon œil d'observatrice du PRD de longue date, c'est le respect des hiérarchies partisanes, assez exceptionnel dans ce parti. Les organisateurs s'assurent que les présents sont bien présidents du Comité exécutif municipal (CEM) ou mandatés par ce dernier. Les simples militants sont rares et leur caractère de représentant contrôlé. Un orateur explique l'importance de respecter l'« institutionnalité du parti » afin d'« appuyer le président légitime ».

11. L'État de Mexico, dont la capitale régionale est Toluca, entoure une grande partie du District fédéral (ville de Mexico) et est composé de 125 municipalités : des grandes villes de la banlieue de Mexico ainsi que des municipalités de petites tailles et très rurales. Cet État est le plus peuplé du Mexique avec plus de 14 millions d'habitants. López Obrador a remporté 43,31 % des suffrages dans l'État de Mexico. Pour les législatives, le PRD a réalisé 37,89 % des voix. Le PRD a obtenu 20 des 75 sièges de l'assemblée locale devenant le deuxième groupe parlementaire après le PRI (21 sièges). Il dirige 34 municipalités sur 125 mais surtout parmi les plus peuplées : Nezahualcóyotl (1 million 400 habitants), Ecatepec (1,6 million), Chalco (275 000), Valle de Chalco (332 000) et Ixtapaluca (429 000).

12. La trajectoire de Edmundo Casino est à bien des égards fort intéressante. Journaliste étant passé par les plus gros organes de presse au Mexique, il s'est spécialisé dans le journalisme d'investigation et notamment dans la dénonciation de scandales politico-électoraux. Il a rejoint López Obrador pendant la campagne présidentielle et est devenu le véritable « entrepreneur de morale » de ce dernier.

Ainsi, la *gira* s'appuie scrupuleusement sur le parti en local alors que le « gouvernement légitime », avec la Convention nationale démocratique et ses déclinaisons dans les États fédérés, a créé une structure parallèle. Au détour d'une conversation, je saurai plus tard que cette présence du parti a été durement acquise [13]. Donc, cet appui sur le parti, son intégration dans l'organisation, était loin d'être acquis et a certainement été très variable dans les différents États traversés par López Obrador en fonction des rapports de force locaux : entre les conventions et le PRD, entre les autres composantes du FAP et le PRD... Cependant commence à se profiler ici le paradoxe de l'organisation de ces tournées. Pensé comme une organisation parallèle au parti voire concurrente, le « gouvernement légitime » lors de ses tournées, pris dans des rapports de force locaux, saisi par des conjonctures particulières, ne peut s'émanciper du PRD. Ainsi, Edmundo Casino explique le principe de la *gira* dans l'Edomex :

– intégrer les trois partis dans l'organisation et les différents courants et organisations,

– là où le PRD est au pouvoir (*donde somos poder*), l'organisation du meeting est sous la responsabilité du maire (*el presidente municipal*) qui se charge de la logistique. Si ce dernier décline, c'est alors le président du CEM qui prend le relais. Pourront monter sur l'estrade le maire, en maître de cérémonie, les élus locaux (les *regidores*) et les membres du CEM. Les députés fédéraux et locaux de la zone seront aussi sur l'estrade,

– quand le PRD *no es gobierno*, le président du CEM et les élus locaux (les *regidores*) co-organisent. En ce début décembre 2007, face à une gauche et en particulier un PRD qui apparaît comme de plus en plus divisé, on rappelle que « c'est très important que tous soient associés ».

Très vite les pluriels qui devraient être de rigueur (les présidents des comités municipaux des différents partis du FAP) s'effacent et l'on parle plus que du parti – le PRD – et de ses présidents des comités municipaux. La logistique est ensuite décrite avec minutie. Pour chaque meeting, 3 orateurs seront choisis qui ne devront pas parler plus de trois minutes. Chaque jour, 6 à 7 municipalités sont visitées. Le programme du « président légitime » est pensé à la minute près. « La ponctualité du président légitime est impeccable. Il y a même le risque qu'il arrive avant », précise-t-on. Les deux responsables de la logistique m'ont expliqué plus tard comment ils ont repéré les trajets des semaines à l'avance, contrôlé les temps entre chaque meeting, testé les différentes routes – les cartes d'état-major, ou du moins leur usage, étant peu fréquentes au Mexique. Au cours de la *gira*, les trois camionnettes grises

---

13. C'est quelques semaines plus tôt, lors des élections de l'État du Michoacán, que des membres de la direction du parti de l'État de Mexico apprennent par hasard que López Obrador va faire une tournée dans leur État. Ils n'ont pas été prévenus et en rien associés. « *Nos va chingar el cabrón* » (littéralement : « Il va nous baiser ce connard ») déclare furieux le président du parti dans l'Edomex. Dans les heures qui suivent, ils envoient deux collaborateurs qui *de facto* finiront par gérer la logistique de la tournée.

aux vitres polarisées de l'équipe rapprochée ont ainsi pu rouler à tombeau ouvert sur des petites routes de campagne.

Concernant l'organisation, aucun détail ne doit être négligé : des conseils sont donnés sur la puissance de la sono et la configuration de l'estrade (taille, manière de la couvrir afin de protéger les orateurs de la pluie ou du soleil). D'ailleurs en fonction de ses dimensions, un nombre plus ou moins grand de personnes pourront être présentes au moment du discours de López Obrador, élément stratégique comme nous le verrons plus tard. Car comme le note l'un des organisateurs « tout le monde veut monter sur l'estrade quand il y a le président légitime, tout le monde veut le saluer ». Par ailleurs, Edmundo Casino insiste bien : « la place doit être pleine ». Seule consigne officielle pour remplir cette condition : distribuer des tracts. L'organisation se charge de les reproduire : Los Reyes, La Paz et Chalco en demandent 30 000, Atenco 10 000, San Martín las Primarides 8 000. Enfin, chaque responsable municipal est invité à remplir une fiche technique à destination du « président légitime » avec les rubriques suivantes : une description de la municipalité (population, taille…), les personnages illustres (« liés à l'indépendance, la réforme ou la révolution »), les attraits touristiques, les données stratégiques (« le niveau de pauvreté, la situation politique, le montant du budget municipal »).

Comment ont été choisies les municipalités visitées ? Certaines s'imposent d'elles-mêmes comme les grandes banlieues de l'est de Mexico, bastions anciens ou plus récents du PRD. Le choix des municipalités rurales est plus aléatoire : les municipalités gouvernées par le PRD ou sujet d'intérêt des membres de l'équipe. Ainsi, la journée du vendredi se termine à Acolmán. Vicente [14], un des deux responsables de la logistique, espère bien remporter l'investiture du parti pour les élections municipales de 2009. Il réussit un coup de maître en amenant le « président légitime » dans sa municipalité.

Rappelons cependant que l'objectif de López Obrador est de visiter la totalité des municipalités du Mexique. Sillonner le pays, de meeting en meeting, adoptant les postures et les rites du voyage présidentiel, c'est s'affirmer comme « président légitime », c'est construire une image publique conforme à son « statut ». En paraphrasant le titre de l'ouvrage de Nicolas Mariot sur les voyages présidentiels en France : « C'est en marchant que l'on devient président [15] ».

Le « président légitime » en tournée

L'inscription du meeting dans l'espace local

Pour les meetings, les estrades sont généralement installées sur la place centrale du village ou de la ville. Edmundo Casino évoque les difficultés

14. Les noms ont été changés
15. Nicolas Mariot, *C'est en marchant qu'on devient président*, Aux lieux d'être éditions, Paris, 2007.

rencontrées dans certaines municipalités panistes : « Dans la mesure du possible, il faut tenter d'éviter les provocations », met-il en garde lors de la réunion de préparation. Dans les 21 municipalités où j'ai assisté à un meeting, il n'y a eu aucun signe de conflit entre perredistes et panistes. Je n'ai vu aucune bousculade entre militants rivaux ni noms d'oiseaux fuser. Il n'en sera pas de même entre militants perredistes... Dans une municipalité, des militants priistes (PRI) observent le meeting depuis le seuil de leur comité municipal. Dans d'autres localités, aucune activité ne filtre des sièges municipaux du PAN situés dans les rues voisines de la place centrale.

Avant chaque meeting, un petit groupe de gardes du corps – dont certains originaires du Tabasco et qui sont des hommes de confiance de longue date de López Obrador – sécurise les lieux. Un travail systématique mais rapide. L'ambiance est bon enfant malgré parfois des hélicoptères qui passent en vol rasant. Lors du premier meeting de la tournée, un membre de l'équipe me désigne discrètement un homme sur un trottoir : « Tu vois, lui est du Sicen » (« Système national de sécurité »). En tout cas, la présence policière est souvent importante : des policiers municipaux mais aussi des policiers *estatales* sont déployés en nombre. Là où ils sont les plus nombreux, López Obrador a un petit mot pour eux : « Beaucoup de policiers se sentent proches de nous. Et dans l'armée aussi. Nous n'allons pas nous opposer les uns aux autres parce qu'eux aussi sont le peuple ». L'appel à la non-violence – aspect central du discours de López Obrador – vise tout autant les policiers que les militants du PRD, assez prompts à ferrailler avec la police.

Cependant, les meetings ont des allures de fêtes populaires. Dans de nombreux villages, les pétards annoncent la bienvenue. La musique est de rigueur et parfois, dans les municipalités les plus riches, les *mariachis* font patienter les premiers arrivés. Souvent des groupes, des *bandas*, jouent aux abords du meeting. Les ballons et les drapeaux sont distribués par les instances locales du PRD dans les zones rurales. Autant de dispositifs qui visent à construire l'émotion [16] et la ferveur politique. Dans les grandes agglomérations de l'*oriente*, les différents courants en présence ont distribué tee-shirts, casquettes, banderoles et drapeaux. Dans les municipalités rurales, les fillettes sont endimanchées. Dans un petit village, une femme arbore un ensemble rose et un chapeau blanc, comme pour un mariage. Nombreux sont ceux qui s'émerveillent de voir pour la première fois un politique de premier plan dans leur village. « Aucun politique de cette envergure ne nous avait rendu visite. » Partout l'on scande : « Es un honor estar con Obrador », « C'est un honneur d'être avec Obrador ». À la tribune, on chauffe l'assistance : dans les grandes banlieues de l'*oriente* – Las Reyes, Nezahualcóyotl, Chalco, Chimaluacan – on fait un appel organisation par organisation, quartier par quartier. « Les femmes de Valle de Chalco » sont invitées à crier haut et fort leur présence. Le meeting est aussi un moment de mesure de la popularité

16. Christophe Traïni (dir), *Émotions... mobilisations !,* Presses de Sciences Po, Paris, 2009.

du maire en place. Les applaudissements sont plus ou moins fournis. À Valle de Chalco, le maire antérieur gagne le maire actuel à l'applaudimètre.

López Obrador prend généralement le temps de traverser la foule, de serrer des mains, de réaliser des accolades, d'embrasser les vieilles femmes et les enfants, d'échanger quelques mots avec des sympathisants. Ces « échanges personnels (...) apparaissent plus intimes, plus vrais, moins artificiels, sont propices à offrir aux regards ce type de posture d'un homme à l'écoute qui saura entendre ce que lui disent ses concitoyens [17] ». Ce bain de foule fait partie intégrante du meeting. « C'est quelqu'un de modeste, de simple comme nous », répètent souvent les sympathisants lors des entretiens. Cependant, comme le souligne Rémi Lefèbvre dans son étude du porte-à-porte réalisé par Martine Aubry à Lille, la recherche de proximité physique peut être d'autant plus importante que la distance sociale est grande [18].

« Obrador, tu es mon president!! », López Obrador est à droite (avec le col blanc).
© Hélène Combes.

17. Cette observation de Nicolas Mariot sur les voyages présidentiels en France, s'applique tout à fait au cas de López Obrador: Nicolas Mariot, « Hommage aux siens et retours aux sources. Les pèlerinages des présidents dans leur ancien fief », dans *Politix,* Vol. 20, n° 77/2007, p. 77.

18. Rémi Lefèbvre, « S'ouvrir les portes de la ville. Une approche ethnographique du porte à porte de Martine Aubry à Lille », dans Jacques Lagroye, Patrick Lehingue, Frédéric Sawicki, *La mobilisation électorale municipale*, PUF-CURAPP, Paris, 2005.

La mobilisation

Cela a été dit : les municipalités visitées sont très contrastées. En fonction des configurations locales, la mobilisation est plus ou moins encadrée, plus ou moins suscitée, plus ou moins importante. Dans certaines municipalités rurales, la proportion de la population présente au meeting est très importante : à Nocaltepec, près de 300 personnes sont arrivées par petits groupes, visiblement en famille, et se sont réunies sur la petite place de la *cabecera* (chef-lieu) de cette municipalité d'environ 5 000 habitants. Il y a rarement moins de 200 personnes présentes. À Chiautla, quelques minutes avant le début du meeting, je m'étonne de la place presque vide. Un organisateur local me répond de ne pas « m'inquiéter », « des bus ont été envoyés dans la montagne » et devraient bientôt arriver. Quelques minutes plus tard, 300 personnes remplissent la petite place de village. Dans certaines municipalités, les politiques locaux offrent le *lunch* à la fin du meeting mais cela reste l'exception.

Dans les municipalités urbaines de l'*oriente*, les effectifs sont plus importants : 10 000 personnes à Texcoco, 6 000 à Chalco, 10 000 à Valle de Chalco, etc. Les formes de mobilisation sont alors bien différentes : courants et organisations sociales ont minutieusement orchestré la venue de leurs *seguidores*. Les opérateurs veillent ou s'affairent pour bien positionner « su gente ». À Valle de Chalco, les groupes arrivent en file indienne, bien sages derrière la banderole de leur quartier. Certains portent même des étiquettes à la boutonnière. La mobilisation est très fortement encadrée. Les méthodes de mobilisation du PRI ont été, ici, clairement importées. D'ailleurs, dans une municipalité voisine, le maire s'emmêle les pinceaux et souhaite la « bienvenue aux membres du Parti révolutionnaire... », face aux sifflets, s'arrête et, confus, reprend : « je souhaite la bienvenue aux membres du Parti de la révolution démocratique ». Quelques minutes plus tard, un orateur ironise, soulignant que le maire est « une nouvelle acquisition » récemment sortie du Parti révolutionnaire institutionnel (PRI). En effet, en 2003, plusieurs de ces municipalités de l'*oriente*, bastion indétrônable du PRI qui d'ailleurs n'a pas ménagé ses efforts dans les années 1990 à leur égard [19], ont basculé dans le giron du PRD. Pour être plus précise, certains dirigeants du PRI, de premier plan à l'échelle municipale et fortement implantés dans des organisations populaires, ont fait alliance avec le courant Nueva izquierda, le courant de centre du PRD, et ont ainsi obtenu l'investiture à la mairie. Pourquoi cette alliance qui n'a rien d'évident de prime abord ? Revenons à une analyse plus globale de « l'économie interne » du PRD.

« Les luttes de courant dans le PRD conduisent à la mise en place de règles qui favorisent la mobilisation de ressources externes dans le jeu interne. Ces luttes conditionnent une ouverture de plus en plus grande du parti sur son environnement. Dans un premier temps, cette ouverture, principalement

---

19. Le président Salinas de Gortari avait fait de Valle de Chaclo un des fers de lance de son programme *Solidaridad*.

impulsée par des dirigeants multi-positionnés – parti/organisations ou mouvements sociaux –, se traduit par la possibilité de valoriser et d'échanger des ressources associatives – savoir-faire militants et militants mobilisables lors d'échéances internes –, faisant des dirigeants multi-positionnés des arbitres du jeu interne. Cependant, ces ressources ne sont pas données et dépendent de bricolages divers dans les processus multiples et parfois contradictoires du fonctionnement partisan. En effet, les courants ne bénéficiant pas de ressources associatives (notamment Nueva izquierda) retournent les règles du jeu à leur avantage. À travers l'ouverture de l'accès aux candidatures, ils font entrer dans le parti des anciens membres du PRI qui, forts des militants qui les accompagnent, s'avèrent des appuis efficaces dans le jeu interne. L'analyse des élections internes montre que la bataille autour de la frontière peut mener à une organisation de plus en plus ouverte sur l'environnement qui défie alors les définitions les plus minimales d'un parti politique [20]. »

L'*oriente* de l'État de Mexico et ses villes de banlieues très populaires qui pèsent très fortement électoralement illustrent à merveille la logique d'alliances des courants du PRD ne bénéficiant pas de ressources mobilisables dans le jeu interne avec des dirigeants locaux du PRI ayant eu un public assez captif. Nueva izquierda était très peu implantée dans les villes de banlieue de l'État de Mexico, alors que le PRD possède certains bastions comme Texcoco ou Nezahualcóyotl, tenus par des courants fortement articulés à des organisations sociales. Ces alliances de Nueva izquierda lui ont donc permis de se positionner dans la géopolitique complexe du PRD dans l'État de Mexico mais, aussi, de bénéficier d'un réservoir important de votes qui pèse même dans les élections internes nationales : lors des élections internes de mars 2007, 28 % des votes militants à l'échelle nationale sont issus de l'État de Mexico [21]. Autour du caractère plus ou moins clos du parti, de ce que Panebianco nomme la « zone d'incertitude [22] » que constitue la frontière partisane, se joue une part importante de la lutte entre les courants pour le contrôle du parti. Ce cas particulier permet également d'éclairer les problèmes du PRD rencontrés lors de son scrutin interne [23] : comment ne

20. Hélène Combes, « Élections internes et transition démocratique. Le cas du Parti de la révolution démocratique au Mexique », *Problèmes d'Amérique latine*, n° 54, automne 2004, p. 71.

21. Il y a eu 294 341 votes valides dans l'État de Mexico pour un total de 1 015 004 votes valides à l'échelle nationale. Comisión técnica electoral, *Computo nacional de la elección de presidente et secretario general del partido de la revolución democrática*, PRD, México, avril 2008.

22. Angelo Panebianco, *Modelos de partidos*, Alianza Editorial, Madrid, 1995.

23. En mars 2008, des élections internes ont eu lieu pour désigner le président du parti. Cependant, des soupçons de fraudes dans certaines zones ainsi que des résultats très serrés ont amené la commission technique électorale à procéder à un recompte des voix. Au moment de l'écriture de cet article, fin avril 2008, le résultat n'a toujours pas été rendu public. Des membres de *Nueva izquierda* accusent aussi López Obrador d'avoir mis son veto à la présidence du dirigeant national de ce courant et possible gagnant, Jesús Ortega. López Obrador, pendant la campagne interne, a appuyé l'autre principal candidat, Alejandro Encinas.

pas imaginer que tout comme pour l'organisation des meetings, ces ex-dirigeants n'ont pas apporté avec eux leur savoir-faire en matière de contrôle voire de manipulation des scrutins. Cet *oriente* de l'État de Mexico n'est pas significatif de l'ensemble de la réalité du PRD mais en illustre bien une facette. Car dans ces municipalités, ce qui s'offre à mon regard d'observatrice – certes éphémère – ce sont des militants en ordre de marche derrière leurs leaders locaux. D'ailleurs, dans ces municipalités, nombreux sont ceux aussi qui arrivent avec une pancarte de Jesús Ortega, alors candidat à la présidence du PRD et, à cette date, en conflit ouvert avec López Obrador sur la réforme électorale [24]. Immédiatement l'équipe de López Obrador comprend le danger et tente de contrôler les pancartes qui tapissent une grande partie du chapiteau. Vicente, orateur de l'équipe d'organisation qui chauffe le meeting, demande qu'à l'arrivée de López Obrador l'on baisse les pancartes afin que « tout le monde puisse voir le président légitime. Baissez les pancartes même si l'on vous dit de les maintenir en l'air ». Ici, on a plus mobilisé contre López Obrador que pour López Obrador. Quelques minutes plus tard, Vicente m'explique : « Tu comprends, les gens font ce que leur dit leur leader de quartier, alors... ». Dans une autre municipalité, le problème se pose à nouveau. N'en pouvant plus, un organisateur local lâche au micro : « Compagnon, l'accord a été de ne cacher aucune tendance (...) et de recevoir avec honneur le président légitime. C'était l'accord, compagnons... ». Si ces configurations sont symptomatiques des tensions que génère López Obrador à l'échelle nationale, elles sont aussi la résultante d'une très forte concurrence au sein des organisations du milieu partisan [25] du PRD dans l'État de Mexico.

Le milieu partisan dans l'État de Mexico

Dans les municipalités rurales, difficile de déceler la présence de l'organisation. Quelquefois, un drapeau d'une organisation paysanne flotte sur les petites assemblées. Cependant, dans ces *cabeceras* rurales à la frange de grandes agglomérations, le milieu partisan du PRD repose visiblement essentiellement sur les réseaux d'interconnaissance. Cet extrait d'un article d'Yves Pourcher dans un contexte fort différent – celui de la campagne législative en Lozère en 1986 – résume le sentiment éprouvé lors de ma fugace présence dans ces communes rurales.

---

24. Le conflit post-électoral de 2006 a débouché sur une nouvelle réforme électorale. En novembre 2007, alors que la réforme est en discussion, le PRD, lors d'un conseil national, a approuvé l'esprit général de la réforme alors que López Obrador a pris position contre de manière assez virulente.

25. Le milieu partisan est « l'ensemble des relations consolidées entre des groupes dont les membres n'ont pas forcément comme finalité principale de participer à la construction du parti quoiqu'ils y contribuent en fait par leurs activités », cf. Frédéric Sawicki, *Les Réseaux du Parti socialiste. Sociologie d'un milieu partisan*, Belin, Paris, 1997, p. 24.

« Comment reproduire ce contexte, ce climat si particulier qui varie selon les villages, les lieux de réunion et les publics (...) ? Chacun, et donc chaque commune visitée, a sa spécificité, et pour la saisir pleinement il faudrait pénétrer dans la complexité des rapports locaux où interfèrent les rivalités de famille et d'anciennes oppositions souvent incompréhensibles pour l'observateur étranger. Le candidat est soumis aux pressions, au jeu local d'influences qu'il ne maîtrise pas toujours, l'habileté se trouvant alors dans le contournement des conflits [26]. »

En revanche, dès que l'on s'approche des grands centres urbains, les organisations du milieu partisan – et les luttes entre ces dernières – se donnent à voir. Dans l'État de Mexico, encore plus que dans le District fédéral – ville de Mexico –, le PRD s'articule en grande partie autour d'organisations sociales et de leurs leaders.

Dans les municipalités autour de Nezahualcóyotl, la présence de Movidig (Movimientio Vida digna : Mouvement Vie digne) se fait fortement sentir. Cette organisation, fondée par un vieux routard du Mouvement urbain populaire, Hector Bautista, est spécialisée dans *el abasto popular* et s'organise autour de *amas de casa*, de femmes au foyer. Movidig aurait plus de 50 000 militants, nous explique un « opérateur politique » de Bautista, qui, intrigué par ma présence dans un meeting relativement modeste, est venu me parler. Hector Bautista est aussi à la tête de *Los de abajo* très présents dans certaines municipalités comme à Chalco par exemple. Il est sans conteste l'homme fort du PRD dans l'Edomex. Il critique fortement l'extension du parti à travers des alliances avec d'anciens priistes et s'oppose donc vigoureusement à la stratégie d'alliance de Nueva izquierda [27]. Un courant – à l'échelle de l'État de Mexico mais aussi présent dans le jeu national – regroupe les organisations de Hector Bautista : Alternativa democrática nacional (ADN).

L'autre grand courant présent dans l'Edomex est le GAP (Grupo de acción política, Groupe d'action politique). Il est historiquement implanté dans la ville de Texcoco, l'autre bastion du PRD, remporté dès 1996. Son principal leader est Ifigenio Martínez, ancien maire de Texcoco, ancien candidat à la gouvernature et actuellement député local. José Luis Gutiérrez Cureño, le maire de Ecatepec et ancien secrétaire général du PRD de l'Edomex, a lui quitté le GAP, quelques jours après la tournée de López Obrador, pour appuyer la candidature de Alejandro Encinas lors des élections internes de 2008 alors que le GAP a choisi de faire alliance avec Jesús Ortega. Cette dernière était essentielle pour Nueva izquierda, dont l'implantation est à la

26. Yves Pourcher, « Tournée électorale », *L'Homme*, volume 31, n° 119, 1991, p. 63.
27. Entretien avec *La Jornada*, 21 novembre 2006.

fois importante mais très fragile dans l'État de Mexico, ne reposant pas sur la formation de loyautés de long terme [28].

Pour les différents courants et leaders de Mexico, l'enjeu est de sortir de son bastion, chacun ayant – comme nous venons de le voir – une implantation qui reste extrêmement localisée. La tournée de López Obrador fournit une bonne occasion de s'affirmer sur le terrain de son adversaire.

« Pourquoi as-tu laissé Reyna monter sur l'estrade ? » s'exclame furieux un membre de la logistique à un autre organisateur. Tout au long de la *gira*, Reyna reviendra régulièrement dans les conversations. La trentaine, la peau dorée et les cheveux blonds décolorés, tout en jean avec un large chapeau et des santiagues, Reyna est l'« opératrice de Gutiérrez Cureño », maire d'Ecatepec. Elle est accompagnée de sa bande de *chavos*, des jeunes, qui de meeting en meeting, donne un coup de main et suivent de loin le convoi du président légitime dans leur camionnette de luxe. Quel est le but de Reyna ? Arriver à faire mentionner le nom de Ecatepec et de son maire. Lors des élections internes de 2006, la concurrence entre leaders locaux faisait rage. Movidig a cherché à s'implanter sur les terres de Gutiérrez Cureño [29]. Cette fois c'est Reyna qui vient chasser sur celles de Movidig.

De même, le courant « Gauche démocratique nationale » (Izquierda democrática nacional, IDN) créé en 2007, bien que national, est quasiment uniquement implanté dans le District fédéral. Il cherche à se développer dans l'État de Mexico. Dans les grandes municipalités de banlieue, des centaines et même des milliers de *Identidad*, le mensuel du courant, sont distribués. En attendant le début du meeting, les sympathisants feuillettent ou se plongent dans ce huit pages spécialement édité pour l'État de Mexico et cette fois essentiellement consacré à López Obrador et Alejandro Encinas. Ces lecteurs arborant le plus souvent le signe distinctif d'un autre courant.

On donne aussi à voir l'hégémonie sur son bastion. Ainsi, la présence de Nuevo espacio de oriente, organisation du maire de Chalco (Vicente Alberto Onofre Vázquez), est impressionnante : des drapeaux, des tee-shirts sont distribués par dizaines et des camionnettes flambant neuves sont postées aux quatre coins de la place.

La tournée de López Obrador, en période pré-électorale interne, est donc saisie comme un espace d'affirmation de la présence partisane des différents courants. Là encore, cette tournée – qui rappelons-le s'inscrit dans une

---

28. Retraçons rapidement la trajectoire de Miguel Angel Luna Munguía, maire de Valle de Chalco de 2003 à 2006. En 2003, ce dernier alors membre du PRI fait une alliance avec le PRD et en particulier Movidig et obtient l'investiture de ce parti sous forme de candidature externe. Six mois après son élection sous l'étiquette PRD, Luna Munguía rejoint le PRI. Suite à un désaccord avec le gouverneur priiste de l'État de Mexico, Arturo Montiel, il démissionne pour la deuxième fois du PRI et rejoint le PRD suite à un accord avec *Nueva izquierda*. *La Jornada*, 27 février 2006.

29. *La Jornada*, 9 janvier 2006.

logique originelle de concurrence au parti – est complètement prise dans les logiques partisanes internes. Plus que concurrence au PRD, le leadership de López Obrador vient renforcer les multiples leaderships. Les batailles autour de la « construction de l'estrade » illustrent ce phénomène.

Construire l'estrade

L'estrade, pour chaque meeting, donne lieu à une fine gestion des hiérarchies partisanes. Au service d'ordre de López Obrador vient souvent s'ajouter un service d'ordre du PRD local, qui a généralement le dernier mot. Et dans chaque municipalité moyenne, le même phénomène se reproduit : des hommes et des femmes argumentent pour monter sur l'estrade. À Chimalhuacan, les luttes pour l'accès à l'estrade dégénèrent en véritable bagarre. Un membre de l'équipe d'AMLO, gêné, tente de m'éloigner. Qu'est-ce qui donne accès à l'estrade ? Sans nul doute le poids politique effectif et les accords passés entre courants lors des réunions préparatoires locales.

Au cours de la *gira*, quelques figures du parti accompagnent le « président légitime » et ont droit systématiquement à une place, sans jamais avoir droit cependant à la parole. Dans cette partie *oriente* de l'État de Mexico, le plus fidèle est Duarte Olivares, « un enfant du pays ». Membre de GAP, Duarte Olivares était représentant du PRD à l'Institut fédéral électoral au moment des élections de 2006.

Chacun vient faire acte de présence dans son bastion ou dans sa circonscription. On se doit d'être là, au côté du grand leader national. Dès la réunion préparatoire, la composition de l'estrade apparaît bien comme un élément essentiel. Ma première impression avait été que, pour les organisateurs, de la minutie de la préparation, de sa composition, pourrait sembler découler la réussite de la présence du « président légitime ». En fait, c'était plutôt de la stricte gestion des équilibres partisans dont il s'agissait. Là encore les logiques partisanes dominent. Un contraste est assez saisissant. Lors de ses discours, López Obrador n'évoque quasiment jamais le PRD et fait en permanence référence au FAP. Or ce dernier n'est absolument jamais mentionné par les autres orateurs qui reviennent toujours au PRD. Si bien que López Obrador, à plusieurs reprises, se voit pressé de répondre à son maintien dans le parti : « Je ne vais pas laisser le PRD vu que cela nous a coûté tellement de le construire ». Puis, meeting après meeting, il répète : « je ne vais pas laisser le PRD », ce qui déclenche systématiquement un tonnerre d'applaudissements.

Face à la multitude d'organisations et aux rivalités entre dirigeants, l'estrade devient l'espace symbolique de la lutte partisane, le lieu où s'exprime l'appui à López Obrador et surtout le lieu où l'on souhaite capter son leadership. Paradoxalement, elle devient aussi l'espace où s'affirme la suprématie du parti sur le mouvement de López Obrador. Les élus du PRD sont là, qu'ils soient proches du « président légitime » ou moins proches, et parlent au nom du parti. À nouveau, se dessinent

López Obrador (avec le collier de fleurs), sur une estrade, entouré de dirigeants locaux de l'État de Mexico. © Hélène Combes.

ici les difficultés de López Obrador à dépasser le cadre partisan et à s'émanciper de ce dernier pour asseoir son leadership sur une base plus large. Le domaine dans lequel López Obrador imprime, en partie, sa différence est celui du discours.

Les discours du « président légitime »

Lors de sa *gira*, la prise de parole de López Obrador s'articule autour de trois principales composantes : son analyse globale de la situation nationale, la conjoncture nationale du moment (réforme électorale, bras de fer avec le clergé de la cathédrale de Mexico) et le contexte local (situation particulière des municipalités traversées). « À l'exposé général dit et redit partout, [vient s'ajouter] l'analyse du particulier de telle ou telle commune [30]. » Je ne reviendrai ici que sur l'analyse globale, la plus illustrative.

30. Yves Pourcher, « Tournée électorale », *L'Homme*, volume 31, n° 119, 1991, p. 72.

« Nous continuons à lutter » : retour sur le contexte électoral

Inlassablement López Obrador commence par revenir sur le contexte électoral des élections de 2006 [31]. « Bien qu'ils nous aient volé [la victoire], nous continuons à lutter », explique-t-il. La constitution du « gouvernement légitime » a été une « sortie à un moment très difficile ». López Obrador définit clairement le choix de ce répertoire d'actions comme un moyen de continuer la mobilisation tout en adoptant une stratégie d'évitement de la violence : « Nous ne pouvions pas amener le peuple à la violence », explique-t-il. Et meeting après meeting, de faire un appel à la non-violence. « Ni une vitre cassée, ni *una pedrada* [32]. » D'ailleurs, l'occupation du Zócalo et de l'avenue Reforma durant l'été 2006 s'est déroulée dans le calme sans que cette mobilisation ne fasse aucune victime, fait assez remarquable au Mexique.

L'appel au peuple et à « l'austérité républicaine »

« Seul le peuple peut sauver le peuple ». « Le peuple », l'opposition entre « ceux d'en bas » et « ceux d'en haut », revient de manière récurrente dans le discours de López Obrador. C'est grâce à « la vitamine P, la vitamine Peuple » que López Obrador dit avoir la force de réaliser la tournée du pays et cite Juarez, « Avec le peuple, tout. Sans le peuple, rien ». Ces appels au peuple ont favorisé le fait que ses opposants l'ont taxé de « populiste ». Notre objectif n'est pas ici d'entrer dans ce débat [33]. Comme le souligne Guy Hermet, « Concept ou non, [le populisme] a en outre cet inconvénient déjà relevé de s'être transformé en un anathème qui, à la limite, situe celui qui en use tout autant que ceux qu'il dénonce [34] ».

Aux difficultés quotidiennes des citoyens lambda, plus que les autres dirigeants du PRD, López Obrador oppose les salaires et les retraites des hauts fonctionnaires. La retraite de Salinas de Gortari, d'après López Obrador, serait plus importante que les budgets de petites municipalités visitées. Et cela précise-t-il avec aussi les « impôts des gens humbles ». Il

---

31. López Obrador invite les participants aux meetings à aller voir le film de Luis Madoki *Fraudes 2006*, qui passe dans les principales salles du pays malgré quelques tensions avec certains distributeurs.

32. Il est intéressant de rappeler que malgré l'image véhiculée par ses adversaires, López Obrador a opté pour des répertoires d'actions limitant les risques de conflit. Ainsi, dans les années 1990, alors que son État d'origine – le Tabasco – vit plusieurs conflits post-électoraux, López Obrador opte pour le répertoire de la marche vers Mexico, faisant sortir le conflit de son contexte local. Aucun mort ne sera à déplorer dans cet État dans les situations post-électorales alors qu'ils ont été fort nombreux dans d'autres États du sud du Mexique. Hélène Combes, « Les mobilisations contre les fraudes électorales au Mexique » dans Danielle Dehouve, Marguerite Bay, *Regards sur la transition démocratique au Mexique,* L'Harmattan- Maison de l'archéologie et de l'ethnologie, Paris, 2006, pp. 57-86.

33. Voir notamment : Hélène Combes, « La guerre des mots dans la transition mexicaine », *Mots*, n° 85, 2007, pp.51-64.

34. Guy Hermet, *Les populisme dans le monde,* Fayard, Paris, 2001, p. 18.

dénonce donc les faveurs que s'octroient « les hommes d'argent », de la haute bureaucratie. « Il ne peut y avoir de peuple pauvre avec un gouvernement riche ». « Pour défendre les privilèges, ils se mettent toujours d'accord depuis en haut ». « Les priistes et les panistes du bas sont aussi *amolados* ». Autant d'éléments du discours répétés meeting après meeting. À ses yeux, plus que politiques, les divisions sont entre le « peuple » et les « puissants ». López Obrador vante son « austérité républicaine » et se targue, lors de son passage à la mairie de Mexico, de ne pas avoir acheté de voitures neuves, de n'avoir réalisé aucun voyage à l'étranger.

Un des ressorts de la mobilisation repose sur cette critique des élites, particulièrement applaudie pendant les meetings. « Ils nous ont volé la présidence car ils sont une mafia mais aussi car nous manquons d'organisation et avec le temps nous sommes en train de nous organiser. » D'où la constitution du réseau des « représentants du gouvernement légitime ».

« Devenir représentant du gouvernement légitime »

Quelques heures avant chaque meeting, une petite tente est installée sur la place du village. Elle abrite trois ordinateurs équipés d'imprimantes et de webcams. Là, on s'enregistre comme « représentant du gouvernement légitime ». On fait la queue – parfois pendant de longues minutes – puis, un membre de l'équipe du « gouvernement légitime » enregistre chacun comme « représentant » : nom, adresse, numéro de téléphone sont demandés. On remplit un formulaire qui est signé et authentifié par son empreinte digitale. Ensuite, de manière presque instantanée, on imprime une carte du « gouvernement légitime » avec la photographie du nouveau « représentant ». En ce début de décembre 2007, López Obrador a déjà visité 1 054 municipalités et plus d'un million cinq cents « représentants du gouvernement légitime » se sont enregistrés.

À Papalotla, un homme d'une cinquantaine d'années vient d'obtenir sa carte « de représentant du gouvernement légitime ». Tout fier, il se dirige vers sa femme pour la lui montrer. « Et ça quoi ? » lui demande sa femme d'un ton dédaigneux. « Moi aussi j'en ai une » : elle sort sa carte d'électeur ; même format, avec photo et empreinte. L'homme, un peu dépité, lui répond : « On verra s'il nous donne quelque chose [avec cette carte] ». Une employée de maison que j'ai interrogée et qui est venue sous la bannière du PT, me rattrape quelques minutes plus tard pour me demander à quoi sert *la credencial*.

La signification de cette affiliation n'apparaît donc pas comme évidente pour le plus grand nombre, et ce d'autant plus que même les militants du PRD n'ont pas toujours une carte d'adhérent. À la question sur la signification de cet encartage comme « représentant du gouvernement légitime », les réponses restent évasives : « Cela est important car cela fait partie de la lutte pour avoir un pays meilleur », « C'est important à cause des idéaux et parce que je suis d'accord avec les postulats du gouvernement légitime. [...]

Je veux transmettre à d'autres l'importance des mesures du gouvernement légitime [35] ». « J'appuie principalement, contre quelque chose avec quoi je ne suis pas d'accord. On voit des injustices dans notre pays et d'une certaine manière je peux participer ou du moins m'informer [36]. » « Cela renforce la démocratie. Peut-être que maintenant je vais participer à des activités du parti. »

L'affiliation est sans contexte assez massive. En décembre 2007, plus d'un million de personnes se sont déjà enregistrées. La campagne d'affiliation des « représentants du gouvernement légitime » est sous l'étroit contrôle de l'équipe rapprochée de López Obrador. Le but est de constituer un vaste réseau capable de se mobiliser rapidement à travers le pays contre telle ou telle mesure gouvernementale. Dès son origine, il est clair que l'objectif est aussi de créer de facto un réseau parallèle au registre des militants de l'appareil partisan du PRD : à la création du FAP, il est décidé que le PRD n'aura pas accès « à la base de données » des affiliés malgré de vives protestations. Cependant, la création « des représentants du gouvernement légitime » est avant tout symbolique. S'inscrivant dans une logique de lien direct entre sympathisants et leader, ce réseau sera difficilement opératoire. Aucune

L'inscription comme représentant du « gouvernement légitime ».© Hélène Combes.

35. Pedro, 24 ans, commerçant, sympathisant du PRD, décembre 2007
36. Juan, 53 ans, commerçant, sympathisant du PRD, décembre 2007.

structure intermédiaire n'a été prévue (pas de personne relais, par exemple, à l'échelle municipale), rendant très aléatoire les possibilités effectives de mobilisation. Quel est le ressort de la mobilisation des milliers de personnes qui se rendent rituellement et régulièrement au rendez-vous de López Obrador ? La possession ou non de la carte de « représentant du gouvernement légitime » a sans doute fort peu à voir avec leur présence au Zócalo.

Carte d'affiliation du gouvernement légitime. © Hélène Combes.

D'ailleurs, quand la nécessité de mobilisation se concrétise autour de « la défense du pétrole », « le gouvernement légitime » opte pour une organisation beaucoup plus hiérarchisée.

De la question électorale à « la défense du pétrole »

Face à l'annonce d'une réforme concernant la compagnie pétrolière publique Pemex, « le gouvernement légitime » lance « un mouvement civil pour la résistance pacifique ». « Amis et amies, évitons la privatisation du pétrole, *el despojo* et la corruption. La résistance civile est notre chemin. Nous avons besoin de toi. C'est urgent », pouvait entendre l'internaute à l'ouverture du site de López Obrador [37].

Cette fois, « le gouvernement légitime » choisit de lancer une campagne de mobilisation extrêmement organisée. Des brigades « pour informer le peuple mexicain » sont créées afin de « faire prendre conscience maison par maison, quartier par quartier et village par village » de l'importance de « la défense du pétrole [38] », grâce notamment à des brochures « d'information » et 50 000 DVD. Des brigades féminines (nommé les *Adelitas*, du nom d'une héroïne d'une chanson sur la révolution mexicaine) sont créées ainsi que 38 brigades coordonnées par des hommes – des brigades avec des noms de héros de l'indépendance, de révolutionnaires, de guérilleros des années 1970 ou des noms comme « Notre pétrole » ou « La patrie est première » – et qui ont été investies lors d'une cérémonie au monument de la révolution. Un comité formé d'intellectuels de gauche (Sergio Pitol, José Emilio Pacheco, Elena Poniatoska, Fernando del Paso, Lorenzo Meyer, Arnaldo Cordoba) participe également au mouvement.

---

37. http://www.amlo.org.mx/

38. « Mensaje del presidente legítimo de México, Andrés Manuel López Obrador, durante el acto de toma de protesta a los brigadistas para la Defensa del Petróleo, en el Monumento a la Revolución », 9 avril 2008, http://www.gobiernolegitimo.org.mx/videos/

La manifestation de « défense du pétrole ».© Hélène Combes.

À partir du 10 avril 2008, les députés du FAP ont occupé le Congrès de l'Union pendant 15 jours, demandant un « débat national, pluriel, démocratique avec la société. Sans précipitation ». Cette occupation de l'organe législatif a déclenché de très vives réactions dans la classe politique et des divisions au sein du PRD. Un spot, attribué au PAN, bien que ce dernier s'en défende, a été très largement diffusé avant d'être interdit par l'Institut fédéral électoral : « Qui ferme les congrès ? 1933 Adolf Hitler en Allemagne, 1939 Benito Mussolini en Italie, 1973 Augusto Pinochet au Chili, 1913 Victoriano Huerta avait fermé le congrès au Mexique. 2008, le PRD, PT et Convergence ont fermé le congrès. Notre démocratie est en danger. Notre paix est en danger. Le Mexique ne mérite pas cela ». Sur fond de musique angoissante et de foule compacte [39].

La question du pétrole ravive donc une polarisation très prégnante durant la campagne électorale, revoyant dos à dos des imaginaires très clivés entre

39. Notons que durant la campagne présidentielle, dans le journal interne du PAN, *La nación*, le parallèle entre l'Allemagne de 1933 et le Mexique de 2006 a été fait par plusieurs chroniqueurs, signe de la forte polarisation qui a alors prévalu Par exemple, l'article de Javier Brown César, du 30 mai 2006.

le PAN et les sympathisants de López Obrador [40]. Elle offre ainsi à López Obrador la possibilité de rendre opératoire sa volonté de mobilisation permanente. Par ailleurs, en pleine crise interne du PRD suite à ces élections, c'est aussi le moyen de s'extraire de la tutelle et du contexte partisan.

Conclusion

Cet article a donc cherché à décrire un répertoire spécifique du mouvement post-électoral de 2006 : la mise en place d'un « cabinet fantôme ». À travers la description de ce répertoire, il s'agissait aussi de comprendre comment López Obrador, malgré sa volonté de dépasser le cadre partisan, s'est trouvé en permanence contraint par ce dernier. Cet aspect est à replacer dans sa trajectoire partisane. Dans les années 1990, López Obrador a d'abord bénéficié de l'appui du leader historique du PRD, Cuauhtémoc Cárdenas, qui a joué un rôle décisif dans son arrivée à la présidence du parti en 1996. C'est ensuite sa position et les liens tissés quand il était président du PRD qui ont été déterminants dans le succès de sa pré-candidature à la mairie de Mexico. Cependant, López Obrador ne possède pas de base solide au sein du parti ; aucun courant ne lui est directement acquis et il a dû sans cesse composer avec les différentes tendances. Ce conflit post-électoral lui permet de transcrire en termes organisationnels le fruit d'une notoriété acquise comme maire et comme candidat et finalement de contourner l'appareil du PRD. La mise en place de ce « gouvernement légitime » doit donc se comprendre aussi bien dans le contexte de polarisation qui a présidé à l'élection que dans les difficultés d'un leader qui cherche un espace de reconversion après sa défaite électorale. « Notre problème est de savoir ce que l'on va faire de López Obrador », m'a avoué un membre du Comité exécutif national en avril 2007. C'est ce jeu de contrainte réciproque qui a été décrit ici.

Mai 2008

---

40. Au-delà des choix politiques, cette question s'inscrit dans des clivages bien plus profonds. Le FAP code la réforme de la compagnie pétrolière comme une remise en cause de certains acquis de la révolution mexicaine. López Obrador rappelle d'ailleurs dans ses discours que le PAN est justement né au moment et contre la nationalisation du pétrole. Pour les panistes, la défense de López Obrador s'apparente au « populisme » de Hugo Chávez.

DÉSARTICULATION DU SYSTÈME POLITIQUE ARGENTIN ET KIRCHNERISME

Ricardo SIDICARO *

Le terme de kirchnerisme employé ici désignera à la fois les gouvernements argentins qui se sont succédé de 2003 à 2008 et les courants politiques hétérogènes qui les ont soutenus. Sans disposer d'une structure partisane propre d'envergure significative, les kirchneristes parviennent à gagner des appuis dans l'ensemble de la société, grâce à des initiatives de gouvernement répondant à des exigences matérielles et symboliques très différentes voire contradictoires. En prenant position contre l'orientation néolibérale des présidents au pouvoir de 1989 à 2001, Néstor Kirchner va gagner la sympathie d'une grande partie de la population. Sa position face aux crimes commis par les militaires est également bien accueillie par ceux qui réclamaient depuis de nombreuses années des poursuites contre les responsables de la dernière dictature militaire. La distance qu'il prend, dans un premier temps, vis-à-vis du péronisme traditionnel lui vaut l'intérêt des courants opposés à cette force politique. Les liens que les stratèges du projet kirchneriste tissent progressivement avec les responsables, grands et petits, des partis péronistes au niveau provincial et municipal, sur la base d'un mélange de convergence politique et d'accords en vue d'obtenir des fonds publics pour compléter les budgets locaux, vont lui procurer l'essentiel de ses soutiens. Avec la relance de l'économie, une grande partie des chefs d'entreprise se montre favorable à son gouvernement, ce qui sera également le cas des salariés. La prise en compte des exigences des personnes se trouvant en situation d'exclusion sociale vient parachever un tableau pratiquement inédit d'accords convergents autour de la gestion d'une présidence. Que ce soit pour des raisons d'ordre symbolique ou d'intérêt matériel, les sondages d'opinion, puis les résultats électoraux, donnent la mesure du climat favorable au kirchnerisme.

* Ricardo Sidicaro est directeur de recherche au CONICET-université de Buenos Aires (UBA).

La déconnexion entre les forces politiques et la société argentine constitue le fait et l'élément conceptuel central à partir desquels est menée la présente analyse du style kirchneriste de gouvernement et de la diversité de la couleur politique de ses soutiens. Cette prise de distance pose un élément clef de l'apparition et de la consolidation d'un projet de gestion des affaires publiques, caractérisé par une forte autonomie vis-à-vis de la société. Le malaise social croissant face aux partis politiques est souvent considéré par les sciences sociales du pays comme l'expression d'une crise de la représentation. En réalité, c'est peu après l'amorce de la normalisation institutionnelle de 1983 qu'une grande partie des citoyens commence à entretenir des rapports ambigus avec les partis politiques : leur existence est jugée nécessaire au fonctionnement de la démocratie, mais la méfiance envers leurs dirigeants, passant pour malhonnêtes ou quasi exclusivement préoccupés par leur intérêt personnel ou celui de leur formation, ne cesse de s'accroître. Cet éloignement du citoyen va provoquer, au sein même des formations politiques, des crises qui vont affaiblir leurs dirigeants et encourager les divisions. C'est ainsi que se désagrège peu à peu un système de partis qui n'avait jamais été très solide, et que se multiplient les tentatives de création d'organisations représentant des groupes ou des individus en désaccord avec le mode de fonctionnement des vieux appareils partisans. De telles conditions entraînent la personnalisation des compétitions électorales, la perte de prestige des Chambres et l'éclatement des partis nationaux dont les dirigeants s'intéressent plus aux questions provinciales ou municipales qu'aux débats sur les problèmes généraux du pays. La suspicion vis-à-vis des responsables politiques atteint son point culminant lors de la crise de 2001 et ne cesse de se maintenir depuis : en 2004, 98 % des personnes interrogées déclarent ne pas faire confiance aux dirigeants politiques et ce taux atteint 95 % en 2007, à la fin du mandat de Kirchner. En 2004, 14 % des personnes interrogées accordent une valeur au vote et 22 % en 2007 [1]. Nombre des interprétations des causes de l'effondrement institutionnel se produisant fin 2001 supposent que le rejet des partis politiques est une conséquence collatérale de l'échec du modèle économique néolibéral mis en place par le gouvernement péroniste de Carlos Menem en 1989, et poursuivi, à partir de 1999, par le radical De la Rúa. Malgré un changement total de politique économique en 2002, rien ne paraît modifier cette déconnexion de la société par rapport aux partis politiques. La normalisation institutionnelle de 2003 intervient dans ce contexte de discrédit de la classe politique suite à des accords passés entre certains de ses membres les plus influents.

Le programme de Kirchner

Dans un livre d'entretiens avec le sociologue Torcuato S. Di Tella publié peu avant les élections de 2003, le futur président Kirchner évoque les grandes lignes de son projet de gouvernement ainsi que ses idées sur un

1. *Boletín del Observatorio de la deuda social argentina de la Universidad Católica Argentina.*

certain nombre d'aspects de la réalité politique nationale [2]. Ce livre, tout comme le programme du Frente para la Victoria (Front pour la Victoire, FPV), formation qui parraine la candidature de celui qui n'est encore qu'un politicien péroniste de province quasi inconnu, pointe le manque de légitimité des partis. Traitant du passé, Kirchner évalue positivement les dix années de gouvernement de Perón (1946-1955) avec l'intégration des travailleurs à la vie politique et l'amélioration de leur niveau de vie: « [...] on avait su tenir compte du conflit social lors de l'édification de l'État-providence en Argentine avec l'entrée des travailleurs et des femmes sur la scène politique de la nation [3] ». Kirchner fait également l'éloge de la législation du travail qu'adopte le gouvernement péroniste des années 1973-1976, et qui accroît les droits des salariés. Commentant la gestion de Menem, il rend l'ensemble des hauts dirigeants péronistes responsables de la transformation du Parti justicialiste « en un parti vidé de sa substance, sans idées [4] ». Son jugement sur le péronisme (ou justicialisme) est sans appel: « [...] il s'agit aujourd'hui d'une immense confédération de partis provinciaux aux leaderships territoriaux très spécifiques [...]. Après la chute du gouvernement De la Rúa, lorsque le péronisme dut se charger de gouverner, l'absence de discussion interne apparut au grand jour. Au sein du justicialisme, la seule chose qui existait, c'était l'unité juridique, car il était traversé de courants ouvertement contradictoires, je dirais même s'excluant l'un l'autre [5] ». Cependant, Kirchner ne se déclare pas pessimiste quant à la refondation du credo originel: « [...] au sein du péronisme se reproduisent les contradictions et la complexité présentes dans l'ensemble de la société argentine. C'est là l'une des caractéristiques qui ont permis au péronisme de subsister durant tant de temps. Qu'il cesse de reproduire ces contradictions, les divisions vont apparaître [6] ». Concernant l'évolution de la situation sociale et économique du pays, le futur président estime qu'il est non seulement nécessaire de reprendre les idéaux fondateurs du péronisme, mais également de restaurer la confiance dans la politique et les organes de l'État. Selon lui, le néolibéralisme a provoqué une « crise de la représentation qui, à son tour, a produit un vide de légitimité des institutions argentines et de la classe politique [7] ». Il faut donc remédier « à la décadence de l'État, [ce] qui passe, en définitive, par la distinction entre intérêt particulier et intérêt du bien commun [8] ». Pour lui, l'État doit prendre ses distances par rapport aux intérêts corporatistes et mener des politiques publiques de planification néo-keynésienne. Il souligne la nécessité de reconstruire « un État capable de fonctionner à plein régime pour remplacer celui qui a implosé le 20 décembre

2. Torcuato S. Di Tella, *Conversaciones Néstor Kirchner-Torcuato S. Di Tella, Después del derrumbe. Teoría y práctica política en la Argentina que viene*, Galerna, Buenos Aires, 2003.
3. *Ibid.*, p. 125.
4. *Ibid.*, p. 131.
5. *Ibid.*, p. 126.
6. *Ibid.*, p. 132.
7. *Ibid.*, p. 92.
8. *Ibid.*, p. 165.

2001 [9] ». Les hauts fonctionnaires de son gouvernement partagent ces points de vue sur l'État. Son ministre de la Santé, Ginés González, résume ainsi la situation : « Lorsque nous sommes revenus aux commandes de l'État, cela faisait de nombreuses années que je n'y travaillais plus, et c'est une caricature que j'y ai trouvée. Comme toute caricature, elle comporte une part de conformité avec la réalité et une autre qui n'a rien à voir avec cette dernière [...] le problème était que l'on avait perdu de vue la finalité de l'État. Non seulement l'État ne remplissait pas sa fonction, mais les citoyens avaient cessé de croire en l'État [10] ».

Le programme électoral du FPV ébauche les grandes lignes des propositions d'action du futur gouvernement. Bien que ne comportant pas de critiques explicites des formes d'organisation péronistes, le document les sous-entend quand il est question de la démocratisation de la politique et des partis. Dans sa « Déclaration de principes », le FPV avance la nécessité de faire preuve de « conviction et de capacité à recoller les morceaux d'une société fragmentée et de la volonté de le réaliser, non pas grâce à un seul parti, mais grâce à la formation d'un grand front national [11] ». Kirchner soutient que poursuivre des objectifs politiques progressistes suppose « d'augmenter le produit intérieur brut, d'améliorer la répartition du revenu ainsi que les investissements et de donner aux habitants l'accès au travail, au logement et aux congés annuels [12] ». Le candidat se propose alors de conduire personnellement les affaires économiques pour éviter que des ministres de l'Économie ne se comportent à nouveau comme des représentants de certaines catégories sociales et de leurs intérêts [13].

Les années kirchneristes : vision d'ensemble

Lors de l'élection présidentielle de 2003, trois candidats péronistes sont en lice : Carlos Menem obtient 24 % des suffrages en défendant des idées néolibérales ; Kirchner recueille 22 % des voix sur des propositions anti-néolibérales ; quant à Alberto Rodríguez Saá, le plus proche des conceptions traditionnelles, il obtient 13 % des votes. La candidature de Kirchner n'aurait pas rencontré un tel écho si elle n'avait bénéficié du soutien des notables péronistes de la province de Buenos Aires, qui suivaient les directives du président par intérim Eduardo Duhalde. Ces soutiens vont lui apporter près de la moitié de ses 22 % de voix, l'autre moitié provenant majoritairement d'électeurs attirés par ses conceptions progressistes. Prévoyant une défaite certaine, Menem retire sa candidature pour le scrutin de ballottage : Kirchner

9. *Ibid.*, p. 245.
10. Ginés González García, *Conferencia de Clausura. Seminario Internacional sobre Modernización del Estado*, Jefatura de Gabinete de Ministros, Buenos Aires, 2007, p. 113.
11. Programme électoral du Frente para la Victoria, p. 4.
12. Torcuato S. Di Tella, *Conversaciones...*, *op. cit.*, p. 130-131.
13. *Ibid.*, p. 31.

devient président sans avoir eu l'occasion de remporter un authentique succès électoral.

De la mi-2003 à la mi-2008, les kirchneristes mettent en application nombre de leurs engagements programmatiques et s'attirent la sympathie de franges importantes de citoyens. Si l'idée de « recoller les morceaux » annoncée dans le programme du FPV peut être interprétée comme une volonté de ravauder un tissu social argentin en lambeaux, la réalité montre bientôt que les fractures sont structurelles ; l'action du gouvernement est seulement capable d'opérer un rapprochement précaire de quelques éléments, peu compatibles entre eux, d'une situation politique et sociale fragmentée. Ce rétablissement de l'unité mythique du peuple, naguère imaginée par les péronistes, et la création d'une instance politique organisatrice pour ceux qui s'accordent à soutenir le gouvernement, ne se produisent pas. Ainsi, en l'absence d'un État capable de contrecarrer la désarticulation politique et sociale, mais également d'un parti ayant vocation à concilier les aspirations disparates des partisans du pouvoir, et d'un syndicalisme comparable à la vieille colonne vertébrale du péronisme, le grand point de convergence de l'hétérogénéité kirchneriste réside dans l'accompagnement d'initiatives présidentielles visant à satisfaire des exigences non compatibles entre elles. Cependant, en raison de la fragmentation sociale régnante, les conditions ne sont pas réunies pour transformer un style personnel présidentiel en leadership charismatique.

L'absence d'élaboration d'une idéologie claire accompagnée d'objectifs précis constitue un mécanisme fonctionnel visant à éviter la dispersion de ceux qui ont des attentes contradictoires vis-à-vis du gouvernement ; en même temps, ce facteur affecte la cohérence de l'action gouvernementale. L'éventail des sympathies kirchneristes s'étend des patrons, qui voient en Kirchner l'artisan d'un fonctionnement économique capitaliste normal, à ceux qui, au contraire, le perçoivent comme un nouveau représentant des idéaux révolutionnaires du début des années 1970 ; ce phénomène englobe aussi ceux qui se sentent attirés par l'abandon initial de la liturgie péroniste et ceux qui, à l'opposé, se sentent réconfortés par les critiques adressées à Menem, qu'ils interprètent comme un retour à Perón. Dans une large mesure, l'efficacité de la stratégie kirchneriste réside dans la proposition d'un projet segmenté, adapté au contexte de fragmentation sociale et politique régnant. Cette voie ne conduit pas à un « recollage de morceaux », mais à ce que la chimie nomme une suspension colloïdale, dans laquelle les particules flottent sans contact entre elles. La crainte d'un retour aux jours pas si lointains du chaos institutionnel, social et économique, que les discours officiels évoquent sous les termes d'*abîme*, d'*incendie* et d'*enfer*, limite d'éventuels conflits dans la société. Devenu, dans un premier temps, la meilleure des situations possibles, le kirchnerisme ne rencontre pas de véritables oppositions et s'installe largement dans l'opinion publique.

L'acceptation de l'action du gouvernement se traduit lors de l'élection présidentielle de 2007, à l'issue de laquelle Cristina Fernández de Kirchner recueille 46 % des suffrages. Un tel soutien semble être l'indice de la consolidation du kirchnerisme favorisée par la division de l'opposition. Les critiques des modalités de la prise de décisions par le gouvernement, qui transgressent souvent les normes institutionnelles, ne rencontrent guère d'échos auprès de l'électorat en général, la tendance habituelle appréciant davantage les résultats que les moyens pour les atteindre. À ces objections, les kirchneristes répondent que derrière l'exigence du respect des procédures administratives se cache le refus de l'accroissement de la justice sociale, de l'extension des limites de la souveraineté nationale, et de la restauration de la capacité d'action de l'État. Par ailleurs, le discrédit des organes de l'État et la méfiance des citoyens à l'égard de la classe politique contribuent à rendre acceptable la concentration présidentielle du pouvoir. Dans un tel contexte, peut-être dû à l'élan suscité par la récente victoire électorale, la présidente Fernández de Kirchner se trouve confrontée, entre mars et juillet 2008, à une contestation sociale inattendue. Il s'agit de la plus forte opposition à une décision du gouvernement émanant des milieux entrepreneuriaux qu'ait connue la vie politique argentine. Le conflit déclenché par le refus de différentes catégories d'entrepreneurs du monde rural de la hausse de l'impôt sur les exportations de produits agricoles commence comme une simple revendication corporatiste pour finir en une mise à l'épreuve de la solidité des soutiens du kirchnerisme. La contestation ponctuelle d'une mesure administrative va ainsi déboucher sur la première importante remise en question du modus operandi du gouvernement portant sur des domaines aussi différents que la compétence de ses fonctionnaires, le rôle de l'appareil de l'État, la représentativité des législateurs ou la légitimité de l'autorité présidentielle. Les conséquences de ce conflit mettent un terme à la phase ascendante du pouvoir kirchneriste et soulèvent de multiples interrogations concernant l'évolution possible de son action gouvernementale.

Le kirchnerisme : des soutiens extrêmement hétérogènes

Ces derniers sont le fruit des relations que ce courant établit avec différentes exigences émanant de la société. Il ne constitue pas un parti représentant des catégories sociales déterminées dont il exprimerait les aspirations par son action de gouvernement. Il s'agit d'un petit groupe de dirigeants politiques sans présence publique particulière avant l'accession de Kirchner à la présidence. À la faveur de la désarticulation du système politique national, ce dernier se propose de consolider son pouvoir en recherchant des soutiens dans l'ensemble de la structure sociale et dans la quasi-totalité de l'éventail des sensibilités idéologiques. Sans vouloir établir de typologie exhaustive, on distingue : les courants d'idées opposés aux militaires ; les organisations protestant contre le chômage et l'exclusion sociale ; les courants adhérant au péronisme traditionnel ; des courants qui se sont détournés des partis politiques en crise ; et les milieux entrepreneuriaux bénéficiaires des mesures de politique économique. Conscients que leurs soutiens sont extrêmement hétérogènes, les stratèges kirchneristes n'ont, à aucun moment, tenté d'établir de liens organisationnels entre eux

Le soutien des « anti-militaristes »

Les protestations permanentes contre l'insuffisance des sanctions prises à l'égard des responsables des violations des droits de l'homme pendant la dictature militaire constituent l'un des axes les mieux définis par Kirchner depuis son accession à la première magistrature. Les procès, restés en suspens, intentés à de nombreux militaires ou les mesures d'amnistie en faveur de ceux qui purgeaient des peines de prison nourrissent la protestation des organisations de défense des droits de l'homme et sensibilisent à cet égard de larges franges de la population. À l'évidence, un tel exemple de l'inégalité des citoyens devant la loi s'avère un facteur qui contribue à affaiblir la crédibilité des institutions publiques et des partis politiques. Par ailleurs, la signification symbolique marquée que revêtent, au début de la transition démocratique, les procès intentés aux plus hauts responsables de la dictature perd ensuite de sa force avec la progressive diminution du nombre des inculpés et les remises en liberté octroyées. Étant donné l'existence d'un sentiment d'injustice face à l'impunité, partagé par nombre de citoyens, les initiatives législatives favorables à l'annulation des lois mettant un terme aux procès des responsables des crimes de la dictature dans les années 1976-1983 ne manquent pas. Les Mères de la Place de Mai et les Grands-mères de la Place de Mai forment les organisations les plus caractéristiques de ces luttes pour la justice. L'annonce de Kirchner d'impulser la réouverture de procès à l'encontre de militaires est, probablement, ce qui lui a attiré le plus de reconnaissance de la part de ce que l'on nomme en Argentine d'un terme quelque peu générique, les progressistes. Il ne semblait pas qu'une telle initiative exigeât un coût excessif car, bien que l'on estimât qu'elle affecterait un certain nombre de militaires à la retraite, elle n'atteindrait pas, en revanche, leurs collègues d'active. De fait, on n'enregistre chez les militaires aucun désaccord sur ce point. En revanche, cette mesure est davantage remise en cause par de petits groupes politiques et idéologiques favorables à la dictature militaire, qui critiquent d'autres aspects de l'action du gouvernement. Les dirigeants du péronisme traditionnel ne manquent pas d'exprimer également leur doute sur l'opportunité d'un retour sur les questions en rapport avec la violation des droits de l'homme. De leur côté, les Mères comme les Grands-mères de la Place de Mai ne cessent de rappeler, lors de leurs interventions publiques, combien peu nombreux ont été les dirigeants péronistes solidaires de leurs revendications.

La ministre de la Défense, Nilda Garré, a clairement résumé la portée politique et institutionnelle de la réouverture des procès de militaires : « [...] le Congrès national et le ministère de la Justice ont, chacun dans son domaine de compétence, décidé d'abolir ou de priver d'effet les normes qui ont fondé le statut légal de l'impunité des auteurs de génocide de la dernière dictature. La tenue des procès, désormais possible, permettra de juger et condamner les responsables directs des faits criminels, laissant ainsi le terrain libre pour que l'immense majorité des officiers et sous-officiers étrangers aux faits de cette époque dramatique puissent se consacrer à leur profession dans des conditions adéquates et avec de légitimes perspectives d'avenir [14] ».

Ces mesures entrent dans le cadre d'un programme destiné à transformer le fonctionnement de l'institution militaire, qui semble bénéficier de l'adhésion de la majorité de son personnel. Ce que les documents officiels définissent comme la « modernisation du système de défense nationale » se trouve régi par le principe de « la suprématie de l'autorité civile, la non-intervention des forces armées dans les affaires politiques intérieures, la restriction de la participation des militaires à la sécurité intérieure ainsi que l'organisation et le fonctionnement sur la base de critères d'action commune [15] ». Sans doute, l'expérience de plus d'un demi-siècle de domination directe et indirecte des militaires sur la vie politique nationale et du corporatisme grandissant des différents corps des armées est-elle au centre des préoccupations présidant à l'adoption de toute mesure en vue de réformer l'institution militaire. De toutes les actions menées durant le quinquennat pour modifier la situation institutionnelle dans le pays, celles qui ont conduit aux changements dans le domaine militaire sont les plus importantes et, surtout, pour les citoyens, les plus significatives des orientations progressistes du gouvernement.

Le soutien des milieux socialement déstructurés

Dans le but de calmer la protestation sociale tout en trouvant des soutiens pour leur action politique, les stratèges du projet kirchneriste entament des négociations avec des dirigeants de plusieurs mouvements, qui réclament des solutions à la situation des chômeurs et des personnes socialement marginalisées. Si, lors de la création du péronisme, les catégories à faibles revenus sont intégrées à la société, au temps de Kirchner, la situation est très différente. La crise de 2001 a conduit la majorité des personnes appartenant à la tranche inférieure des revenus à un état de pauvreté ou d'indigence. Ceux qui composent cette population marginalisée ont perdu tout lien organique leur permettant d'être considérés comme des interlocuteurs légitimes par les divers gouvernements. Dans la mesure où, depuis 2002, les politiques d'assistance servent en partie à répondre aux besoins les plus urgents, les groupes politiquement les plus actifs qui en sont issus, encouragés par la débâcle généralisée du système politique, obtiennent davantage de reconnaissance dans l'espace public. Afin de calmer les manifestations de rue, Duhalde, d'abord, Kirchner, ensuite, tentent d'entrer en contact avec les dirigeants les plus connus de ces mobilisations. Des accords contribuent objectivement à améliorer l'organisation de ces mouvements de protestation, dont certains ont déjà près d'une décennie d'existence. Une fois le kirchnerisme au pouvoir, il devient évident qu'une partie des dirigeants de ces mouvements sont disposés à lui prêter leur concours et à mobiliser leurs militants, pour faire éventuellement barrage aux critiques que certains dirigeants du péronisme traditionnel commencent à formuler au nom des

14. Ministère de la Défense, *Anuario 2005-2006*, Buenos Aires, 2007, p. 13 19
15. *Ibid.*

intérêts du peuple. L'acceptation, de la part du gouvernement Kirchner, du droit à la protestation de ces nouveaux acteurs a des effets divergents : elle équivaut à la fois à une légitimation des modalités de contestation sociale les plus vigoureuses apparues dans les années précédentes, à une cooptation et à une subordination aux directives du pouvoir présidentiel. Par ailleurs, la propension de ces acteurs, « morceaux » de cette société fragmentée, à agir de manière extra-institutionnelle n'est pas facile à rendre compatible avec d'éventuelles propositions de reconstruction du système politique.

De toutes les organisations sociales qui ont rejoint le kirchnerisme, la Fédération des travailleurs pour la terre et le logement (Federación de Trabajadores por la Tierra y la Vivienda) du district de La Matanza est celle qui a obtenu le plus de visibilité politique. Une recherche sur cet organisme montre que ses membres se définissent en réaction au courant péroniste traditionnel au sein duquel quelques-uns de leurs dirigeants ont joué des rôles subalternes [16]. Ce type d'expérience, qu'ils partagent avec des dirigeants d'autres mouvements sociaux revendicatifs et des organisations représentant des milieux pauvres qui soutiennent Kirchner, les place dans une position virtuelle de conflit par rapport aux dirigeants du péronisme traditionnel avec lesquels Kirchner cherche à rétablir de bonnes relations durant son quinquennat. Au cours de cette étape, des mouvements sociaux de gauche ou marxiste, clairement opposés au péronisme, ne manquent pas de participer au projet gouvernemental. Parmi les organisations sociales engagées à gauche qui apportent leur soutien au kirchnerisme, le Movimiento Libres del Sur se distingue par son programme proposant des transformations politiques et sociales sur bien des points plus avancées ou progressistes que celles du gouvernement. Bien que peu significatif en termes électoraux, le nombre de personnes influencées par chaque organisation populaire mentionnée revêt un poids politique dû à leur capacité à mobiliser pour soutenir le projet présidentiel dans une perspective plébiscitaire.

Le soutien du péronisme traditionnel

Dans un premier temps, Kirchner pose le problème de la nécessité de changer la manière de faire de la politique pour retrouver la confiance des citoyens : il annonce à plusieurs reprises sa décision de prendre ses distances par rapport à ce qu'il nomme une « confédération de partis provinciaux péronistes sans idées ». Connaissant les pratiques des notables péronistes dans les provinces et les communes qui consistent pour l'essentiel à défendre les intérêts locaux et le cercle de leurs partisans, Kirchner peut prévoir l'inconstance de leur soutien. Au cours du mandat de Menem, il apparaît que l'invocation de Perón et de ses idées par ces dirigeants n'est qu'instrumentalisation et qu'avec l'usure du tissu social, les vieilles émotions fondatrices ont perdu de leur force. Cependant, dans la mesure où ils se

16. Dolores Calvo, *Exclusión y política. Estudio sociológico sobre la experiencia de la Federación de Trabajadores por la Tierra, la Vivienda y el Hábitat (1998-2002)*, Miño y Dávila, Buenos Aires, 2006.

préoccupent de l'appauvrissement des couches populaires en menant des politiques assistantielles répondant aux besoins les plus urgents et établissent en même temps un lien de dépendance de type clientéliste, les gouvernements provinciaux n'ont pas perdu de leur influence. Mais la faiblesse de leurs budgets rend ces responsables provinciaux et municipaux dépendants de l'autorité présidentielle, et les questions idéologiques totalement secondaires. La capacité de négociation de ces notables régionaux repose sur le fait qu'ils contrôlent une grande partie des voix du péronisme traditionnel de leurs provinces mais aussi sur le fait que l'exécutif national doit compter sur le soutien de leurs élus au Congrès. Les relations du kichnerisme naissant avec la « confédération » ne sont guère faciles : en 2004, elles frisent l'affrontement généralisé au cours de la première réunion partisane nationale lorsque la majorité des dirigeants péronistes traditionnels ne reconnaît pas l'autorité de Kirchner. Cette crise se prolonge avec les initiatives présidentielles pour mettre un terme aux accords passés avec Eduardo Duhalde et tenter de diviser le péronisme dans la province de Buenos Aires afin de créer une force politique propre à l'occasion des élections législatives de 2005. Pour atteindre cet objectif, les ressources budgétaires contrôlées par le gouvernement national s'avèrent efficaces : elles permettent d'obtenir l'accord de nombreux maires tributaires des fonds nationaux pour les travaux publics et l'assistance sociale. Les mêmes mécanismes, à quelques adaptations près, servent pour parvenir à une progressive amélioration des relations avec les responsables péronistes provinciaux. À partir de 2005, grâce aux accords passés avec la majorité de ces dirigeants, le kirchnerisme s'assure leur loyauté, provoquant ainsi le désaccord des « morceaux » progressistes de l'ensemble hétérogène soutenant le président.

Les dirigeants du syndicalisme péroniste traditionnel ne jouent aucun rôle majeur lors des élections de 2003 : les positions de Kirchner, favorables à la rénovation des modalités de l'action politique, rangent objectivement ces derniers parmi les acteurs du passé. La présence dans le cercle promoteur du projet kirchneriste de personnes qui ont fait partie de la gauche péroniste dans les années 1970 n'est pourtant pas une donnée à même de tranquilliser les dirigeants syndicaux. Étant donné son action en tant que gouverneur de la province de Santa Cruz, il est prévisible que Kirchner ne soit pas enclin à accepter des revendications syndicales allant à l'encontre de ses décisions. À tout cela s'ajoute l'affinité manifeste pour le kirchnerisme d'une grande partie des dirigeants de la Centrale des travailleurs argentins (Central de los Trabajadores Argentinos, CTA), organisme de représentation syndicale en concurrence avec la Confédération générale du travail (Confederación General del Trabajo, CGT) contrôlée par les péronistes. La CTA a une exigence historique : modifier la législation interdisant la liberté syndicale et favorisant la CGT, idée que ne rejette pas, en principe, Kirchner. Cependant, dans la mesure où la grande majorité des dirigeants péronistes ont accepté la politique néolibérale de Menem et obtenu des avantages pour leurs organisations avec même, dans certains cas, des prébendes pour le cercle de leurs collaborateurs, leur situation est devenue quelque peu délicate : il convient pour eux de composer avec le nouveau gouvernement [17]. Accusés de connivence avec le néolibéralisme par les dirigeants des mouvements de chômeurs et d'exclus, les syndicats péronistes perdent objectivement le pouvoir dont ils ont été les détenteurs à d'autres époques. Les associations les plus proches des idées de gauche contribuent, pour leur part, à la reprise des accusations classiques à l'encontre de la bureaucratie syndicale. Entre autres, l'intérêt des stratèges du projet kirchneriste à gagner le soutien des organisations sociales représentant les couches déstructurées de la société n'est pas étranger à la distance initiale que nombre de syndicalistes péronistes manifestent à l'égard du gouvernement. Par la suite, le pouvoir présidentiel se trouve dans la nécessité d'avoir à compter sur le soutien des syndicats pour discuter les politiques salariales. C'est cela qui améliore leurs relations, davantage que le poids politique syndical. De plus, les revendications salariales des années 2003-2005 ne constituent pas les conditions les plus propices à de bonnes relations entre les syndicats et le gouvernement. Mais à partir de 2006, cette situation change avec une plus grande propension du patronat à donner des augmentations de salaires et l'attitude plus négociatrice vis-à-vis du kirchnerisme du secrétaire général de la CGT, Hugo Moyano [18].

Le soutien des dirigeants des partis en crise

La désarticulation du système politique rend disponibles nombre de dirigeants de rang élevé et moyen avec certains desquels les stratèges du projet kirchneriste ont établi des relations avant les élections de 2003 [19]. Dans certains cas, il s'agit d'accords formels passés avec des regroupements qui ont acquis une certaine notoriété dans le camp progressiste au cours de la période antérieure à 2001 et qui se positionnent parmi les promoteurs de la candidature de Kirchner. Parmi ceux-ci, les plus organisés sont les membres du Fresapo, une formation qui a fait partie du gouvernement De la Rúa. Ce courant bénéficie d'un certain capital de voix qui se reporte sur Kirchner, notamment dans la ville de Buenos Aires dont il dirige la municipalité. Peu après leur accession à la présidence, les kirchneristes obtiennent le soutien de trois gouverneurs, d'un certain nombre de maires et de députés élus au niveau national sous l'étiquette du Parti radical. L'amélioration

---

17. Dans son livre d'entretiens avec Di Tella, Kirchner manifeste une opinion critique concernant la situation du syndicalisme qu'il lie aux conditions générales de discrédit de la politique ; il affirme que les dirigeants syndicaux ont « deux options : élargir honnêtement, grâce à un travail personnel, les tâches et le champ d'action [du syndicalisme] et [le] convertir en un mouvement de défense des travailleurs ; ou bien, se condamner à une sorte de dégénérescence corporatiste, stigmate qui le conduira à perdre son influence politique, son identité propre, ses militants et la confiance des travailleurs qu'il dit représenter », Torcuato S. Di Tella, *op. cit.*, p. 61.

18. À ce sujet, voir Gabriela Delamat, *Luchas sociales, gobierno y Estado durante la presidencia de Néstor Kirchner*, Instituto Universitario de Pesquisas de Río de Janeiro, IPRRJ-UCAM, 2008.

19. Sur les différentes situations des partis argentins, voir Isidoro Cheresky (dir.), *La política después de los partidos*, Prometeo, Buenos Aires, 2007.

des conditions politiques et budgétaires de l'exercice du pouvoir dans leur province respective influence ce passage dans les rangs de la majorité au pouvoir. Ces dirigeants radicaux disposent de voix propres avec un report possible de la plus grande partie pour soutenir le gouvernement. D'autres dirigeants de formations socialistes et proches du parti communiste rejoignent également le kirchnerisme. Globalement, on peut affirmer que le soutien apporté au gouvernement par des figures représentatives de partis de tradition non péroniste constitue, avant tout, la conséquence de la crise traversée par ces forces politiques dans la perspective, peut-être, de former le nouveau parti qui se fait connaître sous le nom de Transversal [20]. Il faut rappeler que l'idée de créer un espace de fusion où viendraient converger des courants de gauche ou de centre gauche, péronistes et non péronistes, ne s'est jamais concrétisée. D'une certaine manière, ce projet se voulait une imitation de ce qui se produisit à l'époque de la fondation du péronisme, lorsque de nombreux dirigeants de partis existants trouvaient une nouvelle unité idéologique. Deux éléments essentiels caractérisent cette expérience : l'existence d'un solide appareil d'État et l'autorité d'un leader charismatique, conditions clairement absentes dans le cas analysé. Étant donnée la diversité des traditions politiques, la majorité des courants soutenant le gouvernement a des opinions très critiques sur le péronisme, ses références et son histoire. Ce qui les attire dans le projet kirchneriste, c'est son intention proclamée de surmonter ce passé et d'ouvrir une nouvelle étape de l'histoire, avec, pour certains, la préoccupation d'accéder aux avantages matériels des charges de la fonction publique.

Le gouvernement ne néglige pas la recherche de dirigeants d'autres partis capables de lui transmettre un certain capital de voix. Depuis 1983 et leur première défaite aux élections libres, il est évident que les péronistes ne disposent plus de la majorité des suffrages. Menem inaugure la stratégie de l'ouverture à d'autres sensibilités politiques en visant les couches sociales idéologiquement de droite. Les kirchneristes estiment qu'ils peuvent trouver des alliés auprès de ce qu'ils définissent comme le centre gauche ou la mouvance progressiste, dénomination abondamment utilisée. Ce qui est appelée, à partir de 2006, la Concertation plurielle (Concertación Plural) peut apparaître comme l'annonce de la formation d'une instance

20. Dans un entretien avec la presse, Kirchner explique sa conception des relations avec les hors parti justicialiste : « La transversalité a été une formule journalistique. C'est une notion qui pourrait fonctionner dans un système partisan où les partis fonctionnent. En Argentine, nous savons tous que reconstruire les partis politiques va demander beaucoup de temps. Par conséquent, la construction de l'espace doit se faire à partir d'idées de dépassement qui proviendront probablement d'hommes et de femmes de différents partis. Beaucoup de gens nous contactent pour discuter, ils viennent du radicalisme, des gens de l'ARI – certains sont entrés au gouvernement et travaillent actuellement avec nous –, des gens du Frente Grande, du Partido Socialista, de partis locaux » [N.D.T. : *partidos vecinales*, littéralement « partis d'habitants de quartier » ; il s'agit de formations politiques regroupant militants associatifs, de quartier ou ex-membres de grands partis en vue d'une action municipale], dans Sergio Moreno, Mario Wainfeld, Fernando Cibeira, *Pagina 12*, 21 mai 2006, p. 12.

d'organisation pour doter d'un début d'unité des dirigeants politiques soutenant le gouvernement et provenant d'horizons partisans très différents. Les faits montrent qu'une telle instance n'a jamais constitué un espace de participation et de délibération politiques, mais qu'elle a servi quasi exclusivement de référence discursive [21].

Le soutien des chefs d'entreprise et les ambivalences kirchneristes

L'objectif du gouvernement kirchneriste est de revenir au fonctionnement normal de l'économie nationale et de maintenir en principe les orientations adoptées en 2002 par le président Duhalde [22]. Ce programme se fonde sur une série de mesures pour relancer la production en la protégeant grâce aux effets d'une dévaluation monétaire qui, en triplant le rapport peso/dollar, renchérit énormément les importations. Les entrepreneurs qui se sont endettés en dollar dans le système financier local voient leur dette diminuer du tiers grâce au mécanisme de la conversion en peso. Les salaires et les prix des intrants énergétiques se trouvant gelés, les bénéfices des entreprises augmentent notablement. Le secteur de la production de biens pour l'exportation, et ceux d'origine agro-pastorale en particulier, tirent les plus gros profits immédiats des nouvelles mesures de politique économique. En revanche, les entreprises, propriétaires ou concessionnaires, de services publics pratiquant des tarifs bloqués sont fortement désavantagées. Étant donnée la complexité des effets de la fin de la période de convertibilité de la monnaie, les grands acteurs socio économiques deviennent de plus en plus hétérogènes. Le bilan des pertes et des profits est loin d'être évident, mais il est clair que ces acteurs ne mèneront aucune action collective. Ce sont les épargnants qui contestent le plus les mesures prises par le gouvernement Duhalde car ils considèrent que l'État a confisqué leurs dépôts en monnaies étrangères ou, pire encore, que le système bancaire les leurs a volés. Peu nombreux sont les porte-parole de ces épargnants qui perçoivent le fait que cette épargne a été transférée aux entrepreneurs, qui voient fondre leur endettement auprès des banques locales. Les effets combinés de la renégociation du paiement de la dette extérieure, de l'augmentation de la production nationale, de la baisse du salaire réel des employés du secteur public et de l'augmentation

21. Pour illustrer la différence d'attentes que suscite l'idée de Concertation plurielle, il est utile de citer un extrait de la déclaration que le groupe Initiative socialiste (*Iniciativa Socialista*) a diffusé à cet égard : « La création de la Concertation plurielle proposée par le président constituera le principal apport à la démocratie politique pluraliste instaurée dans le pays à partir de 1983. La "révolution par le haut" réclame maintenant une nouvelle concertation pour qu'elle passe dans les institutions de la société civile. Comme il était à prévoir, quelques éléments de la droite bornée s'opposent et s'opposeront à une telle perspective. Il est possible que surgissent à nouveau des actions ponctuelles de terrorisme paramilitaire. L'Initiative socialiste sera partie prenante de la Concertation plurielle et de la lutte pour sauvegarder la démocratie », Buenos Aires, 13 octobre 2006.

22. Voir à ce sujet Robert Boyer, et Julio Neffa (dir.), *Salida de crisis y estrategias alternativas de desarrollo. La experiencia argentina*, Institut CDC pour la recherche-CEIL-PIETTE, CONICET, Miño y Dávila, Buenos Aires, 2007.

des exportations, entre autres, permettent au gouvernement kirchneriste de disposer de fonds abondants avec lesquels il subventionne, selon différents critères, les prix intérieurs d'entreprises de divers types. Cela lui donne de bonnes relations avec les différents chefs d'entreprise ainsi favorisés. En outre, les négociations officielles avec les créanciers extérieurs reçoivent un soutien sans faille de toutes les organisations patronales. Nombre de grandes entreprises ayant contracté des dettes sur les marchés financiers internationaux parviennent à se faire exonérer d'une partie du paiement de ces crédits en bénéficiant de remises semblables à celles que le gouvernement a obtenues.

Dès lors, le gouvernement peut présenter l'acceptation de ses conditions par les créanciers internationaux comme un succès supplémentaire de son projet politique de centre gauche. Alors que la Banque mondiale prend la défense des détenteurs de titres de la dette argentine qui n'acceptent pas la mesure concernant le change, réclament encore aujourd'hui quelque 20 milliards de dollars plus la totalité des intérêts et portent l'affaire devant les tribunaux de différents pays, Kirchner critique durement les organismes multilatéraux de supervision et de crédit : il reproche au Fonds monétaire international son approche archaïque de la question de la dette extérieure qui aggrave la pauvreté des pays en voie de développement. Les discours aux accents anti-impérialistes font s'interroger sur la véritable nature du gouvernement une partie des grands patrons qui voyaient avec sympathie la politique économique menée en leur faveur par le kirchnerisme. Les idéologues proches du grand patronat accusent le pouvoir de poursuivre un projet gauchisant, en pointant les accords avec le chavisme vénézuélien, les liens politiques avec la Bolivie, les conflits avec l'Uruguay concernant la politique environnementale et, plus généralement, l'idée de la création d'une Communauté sud-américaine des nations, initiative opposée à celle du gouvernement états-unien d'une intégration économique moyennant un accord de libre-échange. Les visites de Fidel Castro et de Hugo Chávez sont envisagées sous le même angle.

Sans doute pour tenter de contrebalancer les interprétations hasardeuses de l'action du gouvernement kirchneriste présentée comme gauchisante, l'un des analystes de presse les plus reconnus du centre droit résume, dans un de ses articles du quotidien *La Nación,* les arguments qui, au-delà de leur finalité immédiate, mettent en évidence les ambiguïtés du kirchnerisme : « Kirchner est un conservateur du point de vue de n'importe lequel des paramètres européens. Un président qu'obsèdent la levée quotidienne de l'impôt, la variation des réserves internationales et le paiement du FMI aussi rapidement que possible, ne relève, en Europe, d'aucune sorte de progressisme. C'est une dose de sensibilité sociale et de respect pour les droits de l'homme qui lui a valu de tels attributs, ce qui fut le cas de beaucoup de conservateurs avant lui [23] ».

23. Joaquín Morales Solá, « El año del aprendizaje », *La Nación*, 2 janvier 2005.

Dans cet article, le bilan de l'action du gouvernement en matière économique montre qu'il n'existe aucune donnée objective pouvant mettre en doute sa capacité à donner confiance au patronat et à attirer les investisseurs, et que la nouvelle conjoncture a arrêté la fuite des capitaux [24].

Les élections de 2007

Lors de l'élection présidentielle du 28 octobre 2007, la candidature de Cristina Fernández de Kirchner-Julio Cobos obtient 46 % des suffrages, s'imposant au premier tour; Elisa Carrió arrive en seconde position avec 23 % des voix [25]. La grande diversité des accords que le gouvernement a passés avec des forces politiques dans l'ensemble du pays, sur la base de points de convergence conjoncturels sans fondements programmatiques communs, rend possible un tel résultat. Il s'avère impossible de déterminer avec précision les différents affluents qui convergent pour former le pourcentage de voix de la coalition victorieuse. La grande satisfaction de l'opinion publique vis-à-vis de l'action gouvernementale constitue, évidemment, un facteur important. L'appui des dirigeants péronistes provinciaux fournit également une partie significative des voix de ceux pour qui il est difficile de savoir si leur vote est imputable au poids des appareils partisans locaux ou au soutien de l'action présidentielle. À titre indicatif quant aux diverses motivations qui ont pu guider le choix des électeurs, il est intéressant de relever que dans la province de San Luis, dont le gouverneur est un péroniste critique du kirchnerisme, qui, en outre, s'est porté candidat à la présidence, Cristina Fernández de Kirchner n'obtient que 12 % des suffrages. Ce chiffre donne à supposer que le soutien des notables péronistes provinciaux au gouvernement à l'échelle nationale pèse de manière décisive dans la victoire remportée. Les gouverneurs radicaux des provinces de Mendoza, Río Negro et Catamarca contribuent également à améliorer le score obtenu par la formule gagnante, avec la présence du radical kirchneriste Julio Cobos comme candidat à la vice-présidence. Autre aspect à souligner: alors qu'elle connaît un échec dans les centres urbains les plus modernes du pays, telles les villes de Buenos Aires, Rosario, Córdoba, Mar del Plata, La Plata et Bahía Blanca, la candidate victorieuse réalise ses meilleurs pourcentages dans les régions les moins développées du pays.

Pour les kirchneristes, la présidentielle de 2007 représente un progrès notable par rapport à celle de 2003. Cependant, en termes d'élargissement

---

24. *Ibid.* Il est également indiqué à cet égard que le succès le plus important du gouvernement réside dans la conduite de l'économie: « L'Argentine a connu, pour la seconde année consécutive, une croissance de près de 9 %. Le niveau de l'excédent fiscal n'a pas de précédent au cours des derniers cinquante ans et les réserves de la Banque centrale ont doublé pendant son mandat. La société a recouvré la confiance en soi [...] la fuite des capitaux, qui n'avait jamais cessé jusqu'à aujourd'hui, a été freinée ».

25. Voir à ce sujet « Elecciones 2007. Lecturas, escenarios y futuro », *Cuadernos de Argentina Reciente*, n° 5, Buenos Aires, décembre 2007.

d'une assise électorale autre que péroniste, la progression n'est sans doute pas celle souhaitée. L'idée de s'assurer des soutiens auprès d'un électorat moderne, étranger à la tradition péroniste, est, en définitive, fortement remise en question par les résultats électoraux. En plus d'une occasion, les observateurs de la scène politique nationale définissent le kirchnerisme comme un péronisme postmoderne éloigné des clichés liturgiques du passé. Lors de son discours d'accession à la première magistrature, Cristina Fernández de Kirchner estime qu'une bonne occasion lui est donnée de réfléchir sur les avis qui conçoivent le projet politique annoncé en 2003 comme une métamorphose du péronisme. S'adressant à son époux et prédécesseur sur un ton familier, elle déclare : « Vous, après tout, vous n'avez jamais été postmoderne ; dans ce temps de postmodernité, vous êtes un président de la modernité et, moi aussi, me semble-t-il [26] ». Au-delà de l'exercice rhétorique, cette phrase, certainement incompréhensible pour beaucoup, est comme un pas franchi sur le chemin d'un retour aux sources du péronisme.

Par bien des aspects, les rassemblements électoraux hétérogènes qui apportent leur soutien aux candidats de 2007 sont l'expression du haut degré de désarticulation du système politique argentin. Ces coalitions, concertations ou fronts constituent des *altérités* de circonstance totalement différentes de celles de l'époque des partis organisés. Leurs campagnes sont conçues en fonction de l'idée selon laquelle il existe une volatilité des préférences des citoyens. La stratégie frontiste du kirchnerisme est le reflet d'une situation semblable à celle que connaissent les autres forces politiques. Déployant une grande variété de moyens, les dirigeants et les candidats présentent aux citoyens des offres qu'ils estiment attractives pour une société déconnectée des partis. L'atomisation sociale conduit à l'affaiblissement des précédentes formes associatives de revendication collective. Si bien que le principal avantage des partis péronistes provinciaux réside dans l'abandon de leur vocation d'avoir des idées, comme le leur reproche Kirchner dans ses entretiens avec Di Tella. Ils sont devenus des sortes d'ONG dédiées à l'assistance sociale et, pour les plus capables, des agences pour l'emploi, qui n'auront pas abandonné pour autant les références aux symboles de l'époque de fondation.

L'année 2008 et la crise des soutiens

Les protestations des milieux agricoles, qui débutent à la mi-mars 2008, marquent une rupture dans la trajectoire du kirchnerisme : elles découvrent une nouvelle scène qui modifie le panorama politique national. Ce qui commence comme un mouvement de type corporatiste de refus de l'augmentation de l'impôt sur les exportations agricoles devient rapidement une situation dans laquelle apparaissent diverses tensions accumulées depuis 2003. Pendant quatre mois, la vie politique du pays tourne autour de ce conflit qui devient une sorte de kaléidoscope où divers acteurs, et pas seulement ceux qui sont directement

26. Discours de prise de fonction, prononcé devant l'Assemblée législative le 10 décembre 2007.

concernés, pensent voir des questions différentes. La plus grande partie des désaccords concernant les intérêts ou les idées qui existaient au cours des années précédentes entre le gouvernement et la société civile, les partis ou fractions de partis, ou les instances dirigeantes d'institutions, se règle avec une intransigeance renforçant le pouvoir présidentiel. Ces manifestations d'autorité affermissent le caractère volontariste du kirchnerisme et alimentent une des sources de sa bonne image dans l'opinion publique. Dans les hautes sphères du pouvoir, la négociation paraît être considérée comme une preuve de faiblesse et, d'une certaine manière, ce modus operandi se révèle efficace jusqu'en mars 2008. Les grandes organisations patronales approuvent, en agissant ou en s'abstenant, les mesures de politique économique adoptées si bien qu'elles se retrouvent au deuxième plan de l'espace public. Même si certaines catégories de producteurs agricoles se plaignent habituellement de la politique fiscale, les bonnes conditions régnant sur le marché international assurent à la majorité un bon niveau de rentabilité [27]. Dans un tel contexte, l'éventuelle augmentation des taxes à l'exportation sur les produits agricoles apparaît au gouvernement comme une mesure qui ne suscitera qu'un désaccord passager.

La protestation des chefs d'entreprises du secteur agricole affecte le gouvernement de différentes manières. La mobilisation des petits et moyens producteurs agricoles contredit sans conteste l'interprétation du pouvoir qui tente d'appréhender le conflit d'un point de vue progressiste en le présentant comme une manifestation de la voracité économique des grands entrepreneurs. La communication télévisée en temps réel présente au pays tout entier un certain nombre de dirigeants agricoles qui, comme ceux de la Fédération agraire argentine (Federación Agraria Argentina, FAA), ont un discours à connotation de gauche : ils dénoncent l'affinité du gouvernement avec les grands intérêts financiers investis dans la production de soja. L'évidente sympathie que suscitent les plus éloquents porte-parole de la protestation des agriculteurs ajoute encore à la détérioration de l'image présidentielle [28]. L'objection des contestataires selon laquelle les mesures fiscales combattues sont techniquement peu expertes coïncide aisément avec les conceptions répandues dans la société sur l'inefficacité de l'appareil de l'État. Sortant du cercle étroit des commentateurs attitrés, l'idée que le gouvernement cherche à augmenter l'impôt pour nourrir les fonds lui servant à maintenir les gouverneurs péronistes dans la dépendance de sa politique est lancée pour la première fois à l'échelle de la société. Étant donnés les effets économiques immédiats dans d'autres secteurs d'activité, la contestation gagne peu à peu des adhérents dans de grandes ou moyennes localités, directement ou indirectement liées à la production agricole : de nombreux responsables politiques de mairies et de villes de la région de la Pampa, par choix ou opportunisme, sont amenés

27. Voir Carlos Reboratti, « Le soja et l'Argentine », *Problèmes d'Amérique latine*, n° 70, Automne 2008.

28. Voir à ce sujet Adrián Murano, *El agitador. Alfredo de Angelis y la historia secreta de la rebelión chacarera*, Planeta, Buenos Aires, 2008 ; Osvaldo Barsky, et Mabel Dávila, *La rebelión del campo. Historia del conflicto agrario argentino*, Sudamericana, Buenos Aires, 2008.

à prendre des positions favorables aux revendications, quelle que soit leur appartenance partisane. Alors que certains des principaux moyens de communication écrite ou audiovisuelle diffusent largement une argumentation favorable aux revendications des milieux agricoles, le gouvernement n'a de cesse de les accuser de partialité et de vouloir déstabiliser la démocratie. Ces derniers réagissent en indiquant une atteinte à la liberté de la presse. Certains dirigeants de l'opposition spécialistes de questions juridiques soulèvent de nombreuses objections quant à la légalité des impôts en question sur la base du fait que leur adoption ne découle pas d'une décision du Congrès national. Lorsque le gouvernement décide de faire adopter cette mesure, il transmet son projet au Parlement et se heurte au refus d'une partie des députés et sénateurs kirchneristes de le voter dans les termes élaborés par l'exécutif. Au cours du débat parlementaire, les désaccords au sein du bloc au pouvoir apparaissent au grand jour ; en guise de finale, le match nul au Sénat est obtenu par le vice-président de la nation, Julio Cobos, qui, en tant que membre de la Chambre haute, vote contre le gouvernement dont il fait théoriquement partie. Ce même jour, deux manifestations se déroulent dans la ville de Buenos Aires : l'une en faveur du pouvoir et l'autre en faveur du monde agricole. Selon des estimations dignes de foi, la seconde réunit un nombre de participants trois fois supérieur à la première. Au plan syndical, la CGT péroniste connaît alors une scission : la nouvelle tendance se solidarise avec la protestation du monde agricole. De leur côté, certains dirigeants de l'aile duhaldiste, ainsi que plusieurs figures péronistes provinciales, rendent publique leur décision de constituer une force politique d'opposition au kirchnerisme.

Dans la seconde moitié de 2008, la préoccupation principale du gouvernement consiste à panser les divisions apparues au sein de son propre camp. Son action se focalise essentiellement sur l'amélioration de ses relations avec les dirigeants, petits et grands, des partis péronistes provinciaux. S'il est difficile de mesurer les effets de ces initiatives, les désaccords qu'elles suscitent auprès de ses partisans regroupés dans des organisations représentant les couches sociales les plus pauvres sont bien visibles. Le rôle de premier plan joué par ces organismes dans les mobilisations contre les exigences des entrepreneurs agricoles leur confère une notoriété qui les amène à contester avec une grande vigueur les accords passés avec les appareils péronistes des notables traditionnels [29]. Au plan institutionnel, la division qui s'instaure au sein du pouvoir exécutif à la suite du vote du vice-président Cobos contre la politique fiscale du gouvernement devient un problème politique dévoilant l'état de décomposition des accords conclus avec les dirigeants des partis en crise ayant adhéré au kirchnerisme.

---

29. Humberto Tumini, dirigeant du Movimiento Libres del Sur, explique à la presse les raisons de sa prise de distance par rapport au gouvernement : « [...] parce que nous ne sommes pas d'accord avec un gouvernement du Parti justicialiste (Partido Justicialista), avec un Parti justicialiste qui ne s'est pas renouvelé, qui conserve ceux qui dirigeaient avec Menem, avec Duhalde, qui se trouve maintenant avec Kirchner et qui prépare certainement le post-kirchnerisme, parce qu'ils ont toujours le souci de se maintenir au pouvoir », déclaration à la presse, 6 décembre 2008.

En guise de conclusion

Les ressemblances entre péronisme et kirchnerisme sont nombreuses. L'un des traits communs aux années de fondation de cette tradition politique et à l'expérience actuellement en cours est probablement cette vocation d'une force politique attrape-tout. Comme cela s'est produit dans d'autres sociétés, les conditions qui rendent possible, en son temps, la création de partis ou de mouvements politiques regroupant des intérêts sociaux divergents résident dans la relative intégration des structures sociales et dans la capacité de l'État à contrecarrer les effets centrifuges des conflits sectoriels. La formation d'un corpus d'idées collectives favorables à des accords sociaux se conjugue alors à un jeu politique bien défini au sein de l'État-nation. Dans le cas de l'Argentine, ce type de société intégrée et d'appareil d'État entraîne le leadership charismatique de Perón qui couronne la formation d'une tradition politique destinée à perdurer par-delà ses avatars postérieurs, bien que ne cessent de se manifester de nombreux signes révélateurs de son déclin [30]. L'expérience kirchneriste en cours apparaît et se déroule dans un contexte de profonde désarticulation du système politique et de fragmentation sociale. Il n'est pas rare que les analyses fournies par les sciences sociales aient tendance à confondre le travail d'organisation des données de la réalité avec la fabrication arbitraire d'entités collectives inexistantes. La présente analyse du kirchnerisme s'est efforcé de mettre en évidence l'hétérogénéité des attentes de cette somme particulière d'acteurs sur la scène politique de l'Argentine d'aujourd'hui, ainsi que leur manque de liaison et de convergence. Les discours semblables à ceux des partis attrape-tout ne parviennent pas à obtenir d'effets de suture majeurs dans une société où, les liens sociaux s'étant affaiblis à l'extrême, les représentations collectives de la politique ont perdu leur fondement. Il est probable que le pouvoir parvienne à conserver un large soutien dans l'électorat face à une opposition avec laquelle il partage une déstructuration organisationnelle et des pratiques de personnalisation. Il est vraisemblable que le projet kirchneriste ait, dans ses débuts, aspiré à transformer la politique dans le pays. Mais le volontarisme politique se conjugue bien mieux dans le cadre d'un projet de type protectionniste et étatique que dans celui de la modernisation politique et culturelle à l'époque de la mondialisation. Alors qu'elle relève davantage d'une autre étape historique, la réalité nationale inspire aux péronistes une conception de la société anachronique. La « confédération de partis péronistes provinciaux sans idées », selon la définition de Kirchner, constitue, sans doute, le résultat d'une adaptation à la perte de l'unité territoriale qui règne alors. Bien que cela paraisse paradoxal, le volontarisme politique des gouvernements entre 2003 et 2008 est profondément lié à l'apprentissage d'un type d'action politique déployé dans l'administration d'unités à l'échelon local où vient se fragmenter la politique argentine. Avec la segmentation du tissu territorial et social, non seulement les inégalités sociales s'accroissent, mais la société civile voit apparaître des individus et des associations qui se défient et exigent

30. Voir à ce sujet Ricardo Sidicaro, « Los tres peronismos. Estado y poder económico 1946-1955 / 1973-1976 / 1989-1999 », *Siglo XXI*, Buenos Aires, 2003.

davantage des pouvoirs publics. Comme cela s'est vérifié depuis 2003, les stratèges du projet kirchneriste se montrent mieux préparés à aborder les problèmes économiques et sociaux que les problèmes politiques. La crise de 2008 met en évidence le fait que derrière nombre d'exigences mêlées se profile la « question démocratique », celle de la participation et de la représentation des citoyens. Cette dernière finit par constituer le facteur qui contribue le plus à l'affaiblissement du gouvernement.

Traduit de l'espagnol par Georges Durand

Le « pouvoir citoyen » d'Ortega au Nicaragua, démocratie participative ou populisme autoritaire ?

Carlos F. Chamorro *

Différences entre la victoire de Daniel Ortega au Nicaragua et celles de Hugo Chávez, Evo Morales et Rafael Correa

Avant d'analyser la nature des changements introduits au Nicaragua par la mise en œuvre du projet dit de « démocratie directe » du président Daniel Ortega, il convient d'apporter quelques précisions sur le type de pouvoir qu'il entend mettre en place depuis son retour aux affaires, en janvier 2008, après seize années passées dans l'opposition. Il s'agit en réalité de deux aspects d'une même question qui s'éclairent l'un l'autre.

Si le président Ortega définit son action comme « la continuation » de la « révolution populaire sandiniste » de 1979, il y a néanmoins des différences substantielles entre ces deux expériences politiques. Les contextes dans lesquels Ortega et les autres présidents des pays de l'Alternative bolivarienne des Amériques (ALBA) sont arrivés au pouvoir sont également très distincts.

---

* Carlos F. Chamorro préside le *Centro de Investigaciones de la Comunicación* (CINCO). Il est le directeur de l'hebdomadaire *Semanario Confidencial*, ainsi que des émissions télévisées, *Esta Noche* et *Esta Semana*.

Cet article est issu de sa conférence *Understanding Populism and Popular Participation: A New Look at the 'New Left' in Latin America*, Woodrow Wilson International Center, Washington DC, 10 mars 2008. Cette conférence a été prononcée avant les élections de novembre dernier sur lesquelles nous reviendrons dans un prochain numéro. *(N.D.R.)*

À la différence de Hugo Chávez, d'Evo Morales ou de Rafael Correa, élus par des majorités confortables qui témoignent de l'appui populaire à leurs projets de réformer en profondeur les systèmes politiques de leurs pays respectifs, Ortega n'a été élu que par 38 % des votants. Le Front sandiniste de libération nationale (FSLN) n'a pas davantage réussi à emporter les élections législatives, obtenant 38 des 92 sièges de députés. C'est dire que les résultats des élections générales de novembre 2006 sont bien l'expression d'un ancrage minoritaire dans l'opinion.

La possibilité d'une victoire électorale des sandinistes dans un tel contexte est le fruit d'une réforme de la Constitution – négociée en 2000 par le FSLN et le Parti libéral constitutionnaliste (PLC) dirigé par l'ex-président Arnoldo Alemán – abaissant de 45 à 35 le pourcentage de voix nécessaire pour être élu dès le premier tour. Condition supplémentaire, le candidat arrivé en tête doit avoir cinq points d'avance sur son adversaire direct.

L'élection d'Ortega n'est donc pas due à un virage à gauche de l'électorat nicaraguayen, mais à la mise en place d'une nouvelle règle du jeu adaptée aux besoins de sa candidature. En effet, ses scores aux trois élections présidentielles précédentes – 41 % en 1990, 38 % en 1996 et 42 % en 2001 – et les tendances actuelles de l'électorat reflètent deux évidences. Ortega ne peut que difficilement atteindre la barre des 45 % au premier tour d'une élection présidentielle, et il n'a pas plus de chance de l'emporter au deuxième tour. Son élection a également été facilitée par la division de la droite, jusque-là réunie dans le Parti libéral constitutionnaliste (PLC) en deux forces rivales : l'Alliance libérale nationale (ALN) et le PLC, qui obtiennent respectivement 28,3 % et 27,1 % des voix.

À la différence du Mouvement vers le socialisme (MAS) d'Evo Morales en Bolivie, le Front sandiniste ne revient pas au pouvoir grâce à un essor des mouvements sociaux. Par contre, le Front entretient avec les groupes sociaux qui le soutiennent une relation basée sur un mélange de clientélisme, de prévarication et d'extorsion. Sa capacité à préserver cette machine électorale contre vents et marées s'avère possible grâce aux accords entre Daniel Ortega et Arnoldo Alemán. Le « pacte » [1] garantit au FSLN, malgré sa condition de force d'opposition, le contrôle de certaines institutions étatiques : le Conseil suprême électoral, la Cour suprême de justice et la Cour de comptes.

Enfin, la victoire d'Ortega ne tient pas plus au fait qu'il ait incarné une opposition aux politiques néolibérales adoptées par ses prédécesseurs. Cela lui aurait valu l'appui des secteurs les plus pauvres. La majorité des pauvres

---

1. Le « pacte » désigne l'accord conclu en 1999 entre Aleman et Ortega ; accord qui permettait tout à la fois le contrôle des institutions en ne nommant que des hommes de paille, sandinistes ou libéraux, à la Cour suprême de Justice, au Conseil suprême électoral, et de se garantir l'un l'autre leur immunité parlementaire.

Ainsi, ils n'auraient pas à répondre devant la justice des crimes dont ils étaient accusés : des vols retentissants pour l'un , des viols répétés à l'encontre de sa belle-fille pour l'autre. *(N.D.R.)*

du Nicaragua (6 électeurs sur 10) ont voté soit contre lui soit pour d'autres options politiques [2].

Quel est le mandat reçu par Ortega ?

Élu par une minorité d'électeurs grâce au pacte, on pouvait supposer que Daniel Ortega tiendrait aussi compte des volontés exprimées par les 62 % des électeurs qui lui ont préféré d'autres candidats. Quelles étaient leurs aspirations par-delà leurs choix partisans ? En fait, les électeurs exprimaient majoritairement une double aspiration : d'une part, combattre la pauvreté et renforcer les politiques sociales ; d'autre part, rénover les institutions, c'est-à-dire mettre fin au pacte entre sandinistes et libéraux.

Pour un chef d'État représentatif d'une minorité, la réalisation de ces objectifs aurait dû passer par un processus de négociation avec l'opposition et les organisations de la société civile. Pour ne pas gouverner contre la majorité, il se devait de faciliter un consensus minimum, indispensable à tout changement politique ou économique d'envergure. Cependant, dès son entrée en fonction, Ortega a proclamé, à l'instar de Chávez, Morales et Correa, le début d'une « révolution » devant, sous son leadership partagé avec sa femme Rosario Murillo, marquer « une rupture avec le passé ».

Pourtant, malgré sa rhétorique anticapitaliste et anti-impérialiste, Ortega a fait preuve de pragmatisme dans ses rapports avec le capital et avec le gouvernement des États-Unis, s'abstenant de s'attaquer au statu quo économique. Il négocie un accord trisannuel avec le Fond monétaire international et ratifie la participation du Nicaragua au CAFTA (Central America Free Trade Agreement) [3] sans pour autant renoncer à faire partie de l'ALBA.

Tout autre est son attitude vis-à-vis de l'opposition interne et de la société civile. Il proclame sans ambages une « refondation » de la nation et annonce un changement radical du système politique. Ce changement s'exprime en quelques mots : « tout le pouvoir au peuple » par le truchement d'un système « parlementariste » et de « démocratie directe ».

Cette prétention à imposer un changement substantiel au système politique en s'appuyant sur un gouvernement minoritaire et sans se soucier de consulter la population est à l'origine de la tension régnant dans le pays pendant la première année de son quinquennat.

---

2. Edmundo Jarquín, *Nicaragua: ¿es viable el autoritarismo populista?*, actes d'exposé, séminaire de la Fundación Pablo Iglesias, janvier 2008.
3. Traité de libre commerce entre les États-Unis et les pays d'Amérique centrale.

Le projet politique d'Ortega : la concentration du pouvoir sous couvert de la « démocratie directe »

Quels sont les liens entre le projet désigné par les expressions « peuple président » ou « pouvoir citoyen » et la stratégie de développement économique du gouvernement ? La réponse est mal aisée en raison des oscillations d'Ortega entre pragmatisme et rhétorique révolutionnaire, de son comportement de plus en plus proche de celui d'un *caudillo* traditionnel, et surtout de l'inexistence d'une vraie stratégie économique à court ou à long terme. Ses préoccupations sont avant tout politiques et plus précisément institutionnelles.

Ce qui occupe l'esprit d'Ortega, c'est sa stratégie de concentration du pouvoir de manière rapide à l'aide d'un triple levier : la maîtrise totale de l'exécutif, qui lui donne une influence croissante sur les autres pouvoirs de l'État ; une politique sociale d'assistanat sélectif rendue possible par l'utilisation discrétionnaire des ressources financières de la coopération vénézuélienne ; enfin, une relation *sui generis* avec le PLC d'Arnoldo Alemán, qui permet à Ortega de disposer d'une majorité parlementaire dépourvue d'assise politique puisque reposant entièrement sur la cupidité et le chantage.

Cette concentration accélérée du pouvoir est un moyen d'ouvrir la voie à l'ambition ultime d'Ortega, à savoir sa perpétuation à la tête de l'État. Au cours des premiers mois de son quinquennat, il a déjà proposé au PLC de procéder à une réforme constitutionnelle. Il s'agit de créer, entre autres nouveautés, le poste de Premier ministre et un « système parlementaire à la nicaraguayenne ». Si beaucoup des caractéristiques de ce système parlementaire sont demeurées tout à fait obscures et confuses, deux d'entre elles sont présentées fort clairement. Désormais les anciens présidents de la République deviendraient députés à vie. Ortega et Alemán auraient ainsi institutionnalisé leur propre situation de *caudillos*. Un des autres objectifs de ce « régime parlementaire » d'un type nouveau – négocié par deux leaders peu soucieux de consulter la population – est de permettre la réélection du président sortant, quel que soit le nombre de ses mandats successifs.

Deux raisons ont conduit à ne pas présenter ce projet de réforme constitutionnelle à l'Assemblée nationale. D'une part, l'idée de permettre, surtout si hâtivement, une réélection d'Ortega a inquiété la population. Selon un sondage réalisé en décembre 2007, 23 % des personnes interrogées l'approuvaient alors qu'elles étaient 70 % à la rejeter. D'autre part, Arnoldo Alemán – condamné à vingt ans de prison pour corruption et qui doit à Ortega sa liberté conditionnelle – n'a pas réussi à garantir les voix nécessaires à la réforme, les membres de son propre parti s'inquiétant des concessions excessives faites au FSLN.

Le président décide alors de différer ce projet et de faire porter le gros de ses efforts sur le renforcement de sa base politique à travers les Conseils du pouvoir citoyen, mieux connus sous leur acronyme CPC. Contrairement à ce que leur nom prétend indiquer, les CPC ne sont pas une émanation populaire, mais l'expression de la volonté du président. Le premier décret du nouveau pouvoir (003-97) est sur ce point parfaitement clair. Il énonce la volonté d'organiser des conseils citoyens dans tous « les districts, communes, départements et régions autonomes, afin de créer la démocratie citoyenne par le biais de la démocratie directe ». Le même décret institue le Conseil de communication et citoyenneté présidé par la femme du président, Rosario Murillo.

Un mois plus tard, Rosario Murillo désigne les délégués départementaux de ce Conseil, tous choisis parmi les secrétaires politiques du FSLN et mandatés pour créer des CPC sur tout le territoire national. La tâche initiale de ces derniers est de devenir, dans les plus brefs délais, des instruments aptes à identifier les bénéficiaires des aides publiques destinées aux plus défavorisés. Ils doivent ainsi coordonner des distributions de biens de consommation et d'aliments au travers des opérations *Hambre Cero* (zéro faim) ou *Usura Cero* (zéro usure), superviser la vente d'aliments à prix subventionnés, ou encore la distribution massive de jouets et autres cadeaux organisée en 2007 par le président pour fêter Noël.

Autrement dit, les CPC constituent un réseau para-étatique destiné à mettre en œuvre certains programmes gouvernementaux dans un esprit partisan. Mais pour qu'un tel dispositif soit utile aux desseins d'Ortega, il faut le placer sous un commandement centralisé, que le parti au pouvoir (FSLN) soit réorganisé afin de mieux le subordonner aux volontés du couple présidentiel. Les CPC sont donc un instrument destiné à organiser l'appui populaire aux décisions politiques du président et de sa femme. Ils sont les relais de campagnes de propagande et d'une assistance sociale politisée. Ils sont, de ce fait, un organe de pouvoir parallèle qui vise à contourner ou à se substituer à certaines agences étatiques et à des institutions du pouvoir local dont les dirigeants sont nommés au terme d'élections démocratiques.

Une majorité de députés réagit à ce projet en votant une loi – la loi 630 – fixant le statut des CPC. Ce texte législatif dispose que ceux-ci sont des organismes subordonnés au FSLN et ne leur reconnaît aucune prérogative par rapport aux autres organisations sociales, syndicales, partisanes et plus généralement non gouvernementales qui existent au Nicaragua. Par conséquent, la loi rejette leur intégration fonctionnelle dans l'appareil d'État et les prérogatives budgétaires que cela implique. L'extrait suivant résume bien l'esprit de la loi : « le droit de participation citoyenne repose sur les principes de pluralité, volontariat, équité et universalité, et exclut tout privilège, subside ou autre avantage en faveur d'une organisation en particulier ». La loi fait ainsi implicitement référence à un héritage institutionnel de la participation citoyenne, ainsi qu'au rôle des organisations de la société civile, pour certaines très anciennes. Ce rappel souligne aussi qu'il ne saurait être question de faire table rase de ce passé [4].

---

4. « Los nublados de días ambiguos », dans *Revista Envío*, n° 310, janvier-février 2008.

Si le président oppose immédiatement son veto à cette loi, l'Assemblée le contre aussi vite. Ortega brandit alors la menace de continuer à gouverner par décrets, ce qui donne lieu à plus de six mois de tensions entre la présidence de la République et l'Assemblée nationale. L'Assemblée ordonne ainsi la publication du texte de la loi 630, condition sine qua non pour son entrée en vigueur. Les CPC introduisent immédiatement un recours auprès d'un tribunal contrôlé par le FSLN ; recours qui a pour effet de suspendre la promulgation de la loi. Entre-temps, Daniel Ortega prend plusieurs décrets donnant une existence légale aux CPC et créant les Cabinets du pouvoir citoyen. Ceux-ci ne sont désormais plus une instance du pouvoir exécutif, mais une composante du Conseil national de planification économique et sociale (CONPES), organe consultatif du pouvoir exécutif. Le CONPES est jusqu'alors assez représentatif de la société civile, Ortega en modifie la composition de telle sorte que les CPC et d'autres organisations proches du FSLN y soient majoritaires. Il place Rosario Murillo à la tête de ce Conseil remodelé.

Le décret présidentiel établit le Cabinet national du pouvoir citoyen, organe supérieur vers lequel converge tout le système de la « démocratie directe ». Il se compose de 272 membres, seize pour chacun des dix-sept départements et régions autonomes du pays. Ce nombre de seize correspond à celui des différents secteurs représentés (santé, éducation, sécurité citoyenne, environnement, propagande...). En font également partie le président, Rosario Murillo, les ministres du gouvernement, le conseil de direction du CONPES et des représentants d'autres organismes de l'État [5]. Six mois après la création de ce Cabinet national, on ne dispose toujours d'aucune information sur les membres des CPC qui en font partie, pas plus que sur la manière dont ces derniers ont été élus ou sur les réunions qu'ils ont tenues.

Cette crise institutionnelle se termine lorsque la Cour suprême reconnaît la légalité des CPC, tout en leur refusant le statut d'organe d'État habilité à gérer des fonds publics. La loi a été réformée pour éviter qu'elle serve encore à l'avenir d'instrument pour paralyser les décisions du pouvoir législatif.

Le conflit avec la société civile : l'opposition entre deux modèles de participation citoyenne, les CPC et les CDM

Au-delà de la crise institutionnelle provoquée par l'imposition des CPC, quel a été l'impact réel de ces comités sur la population ? En juillet 2007, Rosario Murillo annonce que les CPC ont déjà mobilisé un demi-million de personnes et qu'ils escomptent avoir plus de 940 000 membres au mois de septembre. Il est à noter que ce dernier chiffre correspond au nombre de voix obtenues par le FSLN aux dernières élections.

5. Decretos del Gobierno de Unidad y Reconciliación Nacional, 29 novembre 2007.

Néanmoins, un sondage réalisé en décembre 2007 indique que seuls 8,6 % des Nicaraguayens admettent être membres des CPC, 11 % déclarent avoir participé à une activité organisée par les CPC et 19 % se disent intéressés par l'idée d'y prendre part. Selon ce sondage, environ 200 000 personnes participent effectivement aux activités des comités à la fin 2007 – soit un cinquième du chiffre officiel. Parmi ceux-ci plus de 60 % seraient des électeurs du FSLN. Ce sondage signale aussi que 47 % des personnes interrogées considèrent que les CPC sont un instrument partisan. Et seul 32 % estiment qu'ils favorisent la participation citoyenne. D'autres sources d'information confirment que ce sont les cadres du FSLN qui sont nommés aux postes de responsabilité des CPC sur à peu près tous les niveaux.

L'influence indéniable des CPC résulte de leur accès privilégié aux fonds publics et de leur condition de point de passage obligé pour accéder aux bénéfices de l'assistance sociale gouvernementale. Une enquête réalisée en février 2008 par CID Gallup permet de saisir les sentiments de la population nicaraguayenne. Un tiers des personnes interrogées pensent que ces comités n'aident que les sandinistes, 23 % estiment qu'ils aident la population en général, 15 % considèrent qu'ils n'aident personne et 28 % sont « sans opinion ». Dans les zones où les CPC sont présents, 44 % des personnes interrogées affirment ne pas avoir de contact avec eux, 27 % indiquent que les CPC leur ont proposé de l'aide, 12 % déclarent qu'ils sont allés d'eux-mêmes leur demander de l'assistance et 16 % avouent nourrir des craintes à leur encontre.

L'analyse de ces opinions montre qu'au premier trimestre 2008 le processus d'implantation des CPC n'est pas encore terminé et qu'ils sont perçus comme l'instrument d'une politique clientéliste du pouvoir en place, plutôt que comme une instance de délibération et de participation démocratique.

En faisant des CPC l'organisation « officielle » de la participation citoyenne, le pouvoir sandiniste entre en contradiction avec un vaste réseau d'organisations, aux formes et aux obédiences les plus diverses, qui promeuvent la participation au Nicaragua depuis deux décennies. Les municipalités, organes de pouvoir les plus proches de la population, conçues comme des institutions destinées à favoriser la participation populaire, deviennent un lieu d'inextricables conflits entre les CPC et les organisations de la société civile. Ce conflit est d'autant plus vif que depuis 1987, année où la loi sur les municipalités rétablit l'autonomie municipale (supprimée cinquante ans auparavant par Somoza Garcia), pas moins de quatre autres lois sont adoptées dans le but de promouvoir la participation au niveau local. En 1997, la réforme de la loi relative aux municipalités crée les Comités de développement municipal (CDM). En 2001, la loi sur le régime budgétaire municipal est votée. En 2003, deux autres lois en la matière sont adoptées: la loi sur les transferts budgétaires au profit des municipalités; la loi de participation citoyenne qui renforce la position des CDM en tant qu'organismes pluriels consultatifs et participatifs ayant pour vocation d'établir un espace de cogestion.

Or le projet politique d'Ortega, axé sur les CPC, ignore simplement ce cadre institutionnel construit autour de l'autonomie municipale. Sa décision d'imposer l'hégémonie des CPC s'applique comme si jusque-là, aucune autre organisation sociale n'avait œuvré en faveur de la démocratie participative au Nicaragua.

En mars 2008, le Centre d'analyse politique (CEAP) réalise une étude comparative [6] des deux modèles de participation, celui basé sur les CDM et celui imposé par Ortega, dans 31 municipalités (sur les 153 que compte le pays) dirigées soit par des maires sandinistes soit par des libéraux du PLC. Et son auteur s'intéresse avant tout à la participation citoyenne lors de la discussion des budgets municipaux.

Les résultats de cette comparaison soulignent l'importance de la volonté politique des élus municipaux dans la promotion de la participation des citoyens, quel que soit le modèle d'organisation – CDM ou CPC. Les auteurs résument ainsi leurs conclusions : « le modèle actuel, fondé sur les Comités de développement municipal, favorise une participation plurielle où se manifestent les intérêts divergents qui coexistent dans la commune. Il est donc plus démocratique. En revanche, en raison du manque de sens du service public et de l'esprit partisan de beaucoup de municipalités, il ne garantit pas que ce pluralisme aura des effets concrets lorsque les budgets municipaux seront votés ».

Par contre, le modèle basé sur les CPC « promet plus de bien-être grâce à des investissements publics plus en phase avec les problèmes des habitants. Il pourrait réduire le pouvoir discrétionnaire des autorités dans l'application des lois, mais au risque d'élargir la part du clientélisme ».

Autrement dit, le modèle des CDM promeut la participation et la démocratie, alors que celui des CPC, soutenus par Ortega et organisés de façon pyramidale, privilégie la promesse de ressources économiques au détriment de la participation. Lequel des deux modèles l'emportera ? Il est impossible de le prédire, mais il est certain que les résultats des élections municipales de novembre 2008 doivent influer fortement en faveur de l'un ou de l'autre.

Pour garantir l'emprise des CPC, le président et sa femme décident et font approuver par le congrès du FSLN, que les candidats du parti victorieux aux élections municipales ne seraient investis qu'à condition de s'engager à subordonner leur action aux décisions des CPC. Cette décision a donné lieu à une nouvelle polémique, les organisations de la société civile considérant qu'elle aggrave les menaces qui pèsent déjà sur l'autonomie municipale pourtant garantie par la Constitution.

---

6. Silvio Prado, *Modelos de Participación Ciudadana y Presupuestos Municipales: Entre los CDM y los CPC*, Estudio del CEAP, mars 2008 (texte en préparation).

Le culte du secret, l'absence de transparence, la volonté d'en découdre avec la presse

Les restrictions de l'accès des médias indépendants aux informations officielles constituent l'autre volet des efforts d'Ortega pour imposer sa « démocratie directe ». Seuls les médias appartenant à l'État, fonctionnant sous son contrôle, ou sous celui du FSLN, peuvent recevoir des informations « dignes de foi ».

L'exemple par excellence de ce manque de transparence est l'usage discrétionnaire que le pouvoir exécutif fait des ressources provenant de la coopération vénézuélienne, qui constitue de fait un budget parallèle d'environ 400 millions de dollars en 2007. Si la loi sur l'accès à l'information quant aux activités de l'État est entrée en vigueur fin 2007, les autorités ne semblent pas pour autant disposées à l'appliquer.

Par-delà ces restrictions, les journalistes, les différents médias, les organisations de la société civile et les partis politiques sont en butte à toute sorte de pressions dès qu'ils essaient de percer l'opacité qui entoure les décisions du gouvernement ou de faire le point sur la réalité de la gestion gouvernementale. Ortega qualifie les médias indépendants de « médias de l'oligarchie », puis d'« enfants de Goebbels » ou encore de « suppôts de la mafia pétrolière ». Les épithètes malsonnantes cèdent ensuite la place aux accusations, sans la moindre preuve, des délits de « conspiration » et de « préparation d'attentats contre les autorités gouvernementales » ; accusations pour le moins graves, ces délits étant passibles de lourdes peines de prison.

Ces menaces témoignent de l'agacement d'un pouvoir intolérant face à la critique, mais constituent aussi une incitation dangereuse à la violence de ses partisans. Plusieurs journalistes ont déjà été agressés physiquement [7].

Journaliste, j'ai moi-même fait l'expérience de la répression gouvernementale contre la presse indépendante. En mai 2007, l'émission de télévision *Esta Semana* (Cette semaine) que je dirige a diffusé un reportage sur l'implication des plus hauts dirigeants sandinistes dans un cas de corruption. Les preuves évidentes de l'existence d'un réseau clandestin de trafic d'influence lié à la présidence de la République y étaient dûment établies. Un entrepreneur du secteur du tourisme dénonçait un haut fonctionnaire appartenant au FSLN, qui voulait lui extorquer quatre millions de dollars en échange de la solution à quelques problèmes juridiques freinant l'avancement du projet *Arenas Bay*. L'enregistrement d'une de ses conversations avec le fonctionnaire a été diffusé au cours de l'émission.

Au lieu d'ordonner une enquête pour identifier les coupables, la réaction d'Ortega a été d'utiliser toutes les institutions de l'État sous son contrôle

---

7. Fundación Violeta Barrios de Chamorro, *Declaración del 10 de Enero: Decálogo para defender la libertad de expresión*, 10 janvier 2008.

pour punir les accusateurs. Il voulait à l'évidence envoyer un avertissement à toute personne susceptible de dénoncer un cas de corruption quelconque. Voici quelles ont été les conséquences de ce reportage :

– l'entrepreneur auteur de la dénonciation a été condamné, pour injures, à payer une amende ;

– un député de l'opposition, beau-père de l'entrepreneur et actionnaire minoritaire du projet, qui avait confirmé l'accusation, a été privé en toute illégalité de son siège à l'Assemblée par une simple décision administrative du Conseil suprême électoral ;

– le projet *Arenas Bay* a été paralysé temporairement par l'État, ce qui a créé un sentiment d'insécurité chez les investisseurs du secteur du tourisme ;

– en tant que journaliste, j'ai été la cible d'une campagne calomnieuse dans les médias publics. La télévision et les radios officielles m'attribuaient à longueur de journée toutes sortes de délits : association de malfaiteurs, agressions sur des paysans, liens avec des narcotrafiquants internationaux ;

– après trois mois d'enquête, deux commissions parlementaires ont conclu qu'il y avait matière à poursuites contre le fonctionnaire sandiniste. Mais l'enquête officielle du procureur, sous contrôle d'Ortega et d'Alemán, est parvenue à une conclusion diamétralement opposée : la conversation enregistrée n'aurait été qu'une « causerie d'affaires » et en l'absence de coercition, il n'y avait pas lieu de parler de délit [8].

Au scandale de la corruption s'est ajouté celui de l'impunité faisant apparaître au grand jour l'absence, chez Ortega, de la moindre intention de combattre la corruption et sa détermination à utiliser les tribunaux pour poursuivre ceux qui le critiquent.

Perspectives à court terme du gouvernement d'Ortega

Le bilan de la première année d'Ortega au pouvoir n'augure rien de bon sur sa capacité à faire face aux graves problèmes dont souffre le Nicaragua. Le taux de croissance économique, 3,7 % en 2007, est très inférieur à la moyenne de 6 % des autres pays centraméricains. La hausse des prix (18 %) a été la plus élevée d'Amérique latine après celle du Venezuela. Ces indices signifient plus de chômage et de pauvreté, mais aussi plus de travailleurs nicaraguayens qui émigrent vers d'autres cieux, en dépit de la politique d'assistanat mise en place dans le cadre de la stratégie de concentration des pouvoirs du président.

Le degré d'implantation à court terme du projet politique d'Ortega va dépendre dans une large mesure des résultats des élections municipales de novembre 2008. Malgré leur caractère local, ces élections sont considérées comme un indicateur de l'état de l'opinion, voire comme un référendum, deux ans après le retour au pouvoir d'Ortega.

---

8. Oliver Bodán, « Caso Tola en la impunidad », dans *Semanario Confidencial*, Edición 561, 18 novembre 2007.

Si le FSLN conserve ou augmente le nombre de voix qu'il a remportées à la dernière élection présidentielle, et s'il garde le nombre de municipalités qu'il détenait (87, Managua y compris) ou en gagne quelques-unes de plus, Ortega interprétera les résultats de ce scrutin comme la ratification de son élection et comme la légitimation de son projet populiste autoritaire déjà en marche. Fort de cet avantage, on peut parier qu'il relancera sans tarder les négociations avec le PLC sur la réforme constitutionnelle en vue de sa propre réélection.

Si, par contre, le FSLN perd du terrain, Ortega ne pourrait faire l'économie de quelques modifications de son style présidentiel et devra aménager son projet. Il traitera ces questions d'abord au sein de son parti puis dans une négociation avec certains secteurs de l'opposition, mais toujours dans la perspective des élections présidentielles de 2011.

Pour le moment (mi-2008), le FSLN se présente à ces élections avec deux atouts de taille. D'une part, le contrôle politique du Conseil suprême électoral ; d'autre part, l'aisance financière que lui procurent les ressources provenant du fonds pétrolier vénézuélien. Il peut discrètement augmenter à loisir les dépenses municipales selon ses besoins.

Un élément clé de ces élections municipales sera le degré de dispersion (ou de cohésion) de l'opposition. Pour l'instant, c'est une énigme. Il y a sept partis et alliances des partis inscrits pour participer à l'élection, mais à la différence des élections présidentielles, la droite antisandiniste s'est regroupée : l'ALN d'Eduardo Montealegre a réintégré le PLC sous l'hégémonie d'Arnoldo Alemán.

La réunification des libéraux est un obstacle sérieux à l'ambition du FSLN de conquérir de nouvelles communes. Il serait prématuré de proposer un pronostic avant de pouvoir évaluer l'impact d'autres facteurs qui concourront au résultat du scrutin, comme l'abstention, les qualités personnelles des candidats, les intentions du MRS dans la zone du Pacifique y compris à Managua, et les attentes des électeurs indépendants opposés au pacte Ortega-Alemán.

Traduit de l'espagnol par Jorge Alaniz Pinell

Le vote de la Constitution bolivienne

Jean-Pierre Lavaud *

Les résultats du référendum constitutionnel du 25 janvier 2009 marquent une nette victoire du gouvernement d'Evo Morales : le texte de la nouvelle Constitution a été approuvé par 61,43 % des votes validés (2 064 397 contre 1 296 175).

Texte fleuve de 411 articles, cette Constitution dont on ne donnera ici qu'un bref aperçu, substitue à l'idée républicaine de l'État nation celle de « l'État, unitaire social de Droit plurinational communautaire ». Le président est élu pour cinq ans et son mandat est renouvelable une fois. Il est élu à la majorité simple ; si celle-ci n'est pas atteinte, un second tour est organisé. L'assemblée législative plurinationale se compose de deux chambres : la Chambre des députés et le Sénat.

Des territoires « indigènes originaires paysans » autonomes administrés selon leurs normes, autorités et procédures, seront créés à la demande des peuples ou nations qui le souhaiteront. 36 langues indigènes sont officiellement reconnues. Des circonscriptions électorales uninominales spécifiques seront découpées pour les nations indigènes. La justice communautaire est officialisée avec le même rang que la justice républicaine ; elle comptera des représentants au sein de la Cour suprême de justice et du Tribunal constitutionnel, dont les membres seront élus par le vote direct des citoyens. Elle est applicable selon les usages et coutumes de chaque nation indigène, et ses verdicts sont sans appel. Les autonomies départementales, régionales et municipales sont aussi reconnues ; toutes les autonomies ont le même rang constitutionnel ; les entités territoriales ne sont pas subordonnées entre elles. Ce qui fait que l'autonomie départementale proposée est très en deçà

* Jean-Pierre Lavaud est professeur émérite de sociologie, université Lille I et membre du Centre lillois d'études et de recherches sociologiques (CLERSE), UMR 8019 du CNRS.

des vœux et propositions des forces sociales et politiques de l'Orient bolivien qui en défendent le principe.

La prééminence de l'État sur l'économie est quasi totale. Les ressources naturelles sont déclarées de « caractère stratégique » et la conduite de leur exploitation et administration relève de l'État. L'initiative privée joue un rôle secondaire et subordonné. La propriété privée est reconnue dans la mesure où elle remplit une « fonction sociale », et si son usage « n'est pas préjudiciable à l'intérêt collectif ». Et l'État impulsera l'économie communautaire. Il régulera le marché des terres. Aucun arbitrage international n'est reconnu en matière économique. Il est mis en place un contrôle social de la gestion et des services publics. La loi établit une nette séparation entre les églises et l'État.

L'analyse du scrutin fait apparaître les mêmes fractures que les précédentes consultations nationales qui séparent les Boliviens aussi bien pour ce qui est du pouvoir (et des formes du gouvernement, tant national que départemental ou local), que de l'avoir (et des formes de propriété, notamment de la terre) et par conséquent de leurs modes de vie dans toutes leurs dimensions : élections de décembre 2005 (président, parlement et préfets), élection des membres de l'Assemblée constituante et référendum concernant les autonomies départementales de juillet 2006, consultation sur la continuation du mandat du président Evo Morales, du vice-président et des préfets ou référendum révocatoire d'août 2008.

On y retrouve en premier lieu l'opposition territoriale entre les départements orientaux de la Demi-Lune (Pando, Beni, Santa Cruz, Tarija), où les votes d'opposition sont majoritaires, et les Hautes Terres d'Occident (La Paz, Oruro, Potosi) qui approuvent massivement la Constitution ; le département de Potosí à 80,07 %. Dans les vallées intermédiaires le oui l'emporte aussi, de peu dans le département de Chuquisaca, plus nettement dans celui de Cochabamba. Lorsqu'on détaille les résultats au niveau provincial, on est frappé par l'homogénéité des résultats dans la partie occidentale. Sur 78 provinces (y compris celles des vallées), le texte est voté dans 76 d'entre elles : seules les provinces Oropeza qui inclut la ville de Sucre, et Cercado où s'étale la ville de Cochabamba, votent contre. En revanche, le oui l'emporte dans 10 des 34 provinces de la Demi-Lune (Santa Cruz 3, Beni 2, Tarija 4, et Pando 1), des zones rurales qui correspondent généralement à des poches de forte présence de migrants venus des hauteurs.

La coupure est encore plus flagrante lorsqu'on constate que 43 % des votes favorables proviennent du département de La Paz, 19 % de Cochabamba, 6 % de Oruro, et 14 % de Chuquisaca et Potosi, soit un total de 82 % dans l'ensemble des départements d'altitude. Le reste des voix, 18 %, provenant de la Demi-Lune.

Une seconde coupure sépare le vote urbain et celui des campagnes. Sur les neuf capitales départementales six se prononcent contre le projet de Constitution : Santa Cruz, Cochabamba, Sucre, Tarija, Trinidad, Cobija. Tandis qu'Oruro, Potosi, La Paz et sa ville-satellite El Alto y sont majoritairement favorables. Sur les 1 296 175 votes d'opposition 913 573 sont localisés dans les villes capitales (El Alto inclus), soit 70 %. Si l'on ajoute à ces villes un ensemble de villes intermédiaires, Montero, Warnes, Tupiza, Villamontes, Yacuiba... on mesure mieux encore l'importance de la fracture qui s'est créée entre villes et campagnes. On peut aussi visualiser ces votes d'opposition urbains en additionnant les votes négatifs des trois départements les plus urbanisés La Paz, Santa Cruz et Cochabamba : ils représentent 73 % du total. Enfin pour ce qui est de l'ensemble des zones urbaines, autres que les capitales départementales, le comptage rapide de l'institut de sondages Ipsos Apoyo Opinión y Mercado avance que le oui y a gagné par 52 % des voix, tandis que les zones rurales ont voté oui à 82 % (*La Razón*, éditorial du 28 janvier 2009) [1].

Alors que dans la partie occidentale villes et campagnes sont alignées pour voter majoritairement la Constitution, il y a tout de même une différence nette entre la ville de La Paz où se concentrent près de 40 % d'opposants et le monde rural alentour qui vote le texte à plus de 90 %. Mais là où le contraste est le plus évident, c'est dans les départements de Chuquisaca et Cochabamba où les capitales s'opposent au texte, tandis que les campagnes l'acceptent.

Ces oppositions en recoupent deux autres. La première, souvent soulignée de manière caricaturale, entre régions pauvres et riches. Si l'on prend pour repère le recensement national de 2001 il y avait 58 % de pauvres en Bolivie : 65 % dans la partie occidentale, et 45 % dans la partie orientale (Chuquisaca inclus). De fait, les votes favorables sont majoritaires en occident et minoritaires dans la partie orientale mais il est excessif, au vu des chiffres, d'opposer une Bolivie pauvre à une Bolivie riche ; la différence relative incite plutôt à souligner la moindre pauvreté de l'orient et à rappeler que la pauvreté est surtout concentrée en zone rurale, ce qui nous ramène à la division ville/campagne.

Et la seconde entre indigènes et non indigènes. Toujours selon le recensement de 2001, il y a en Bolivie 62 % des recensés (de plus de 15 ans) qui s'identifient aux peuples quechua aymara, guarani... que le recenseur a regroupés dans la catégorie, « indigènes [2] ».

Dans les départements de La Paz, Oruro, Potosí, Cochabamba et Chuquisaca, l'auto-identification indigène est majoritairement comprise entre 75 % et 100 %, et elle ne descend pas en deçà de 50 %. Ce bloc territorial contient 70 % des inscrits. À l'inverse dans le bloc oriental, Santa Cruz, Pando, Beni et Tarija,

1. La Bolivie compte quatre grandes villes (Santa Cruz, El Alto, La Paz, Cochabamba), quelques villes moyennes (Sucre, Potosí, Oruro, Tarija), et des villes qui, à l'échelle européenne, peuvent être considérées comme des petites villes ; une grande partie des campagnes vit en habitat dispersé.

2. Sur la manière dont furent comptabilisés les « indigènes » cf. Jean-Pierre Lavaud et Françoise Lestage, « Compter les Indiens » (Bolivie, Mexique, États-Unis), *L'Année sociologique*, vol. 55, n° 2, 2005.

soit 70 % du territoire, l'identification en tant qu'indigène ne dépasse pas 50 %. L'identification à un groupe indigène aymara ou quechua va donc de pair avec l'adhésion au texte de la nouvelle Constitution, ce que montre clairement une étude du géographe électoral Luis Pedraza : dans 150 municipalités, soit 64 % du total des municipalités, dont 81 de La Paz, les votes oui vont de 90 % à 97,8 %. Et dans les départements de la Demi-Lune le pourcentage des votes favorables à la nouvelle Constitution (18 %) est proche de celui de l'auto-identification en tant qu'indigène quechua et aymara (14 %) (*El Nuevo Dia,* 22 février 2009).

La superposition de ces différentes coupures, même si elles sont loin de s'ajuster exactement, pose un très sérieux problème pour la mise en place des nouvelles institutions. L'opposition à la Constitution de la Bolivie urbaine et orientale, qui est le fait de la majeure partie de la classe moyenne et des forces vives du pays, tant du point de vue économique qu'intellectuel, ne peut que déboucher sur de fortes réticences et résistances au moment de la mettre en place, et la superposition des oppositions spatiales et ethniques entretient des tendances à la désobéissance, voire à la sécession. Pourtant, le gouvernement, fort de sa victoire, veut absolument passer en force.

Or cette victoire n'est, en fait, pas aussi probante et nette qu'il y paraît au premier abord. Notons d'abord que les résultats sont moins bons que ceux du référendum révocatoire de 2008 quand 67,4 % des voix étaient en faveur du maintien d'Evo Morales à la présidence. Le camp gouvernemental est en recul un peu partout (Oruro -9,2 %, Cochabamba -5,5 %, La Paz -5,1 %) mais il est remarquable qu'il ait perdu dans le département du Pando alors que celui-ci a été soumis à un état de siège pendant plusieurs semaines pour démonter l'opposition politique en utilisant la police et l'armée (le préfet élu est en prison). À Cobija (capitale du Pando) après que les habitants eurent accueilli avec enthousiasme les préfets d'opposition pendant la campagne, les votes favorables au gouvernement ont régressé de 51,7 % à 39,1 %. On notera aussi que dans la ville de La Paz les votes d'opposition atteignent 40 % (contre 32,8 % lors du *revocatorio*).

Mais surtout, le camp du oui a triomphé en utilisant des moyens douteux ou frauduleux.

Mentionnons d'abord la campagne officielle massive en faveur de l'adoption du texte à laquelle toutes les instances gouvernementales ont contribué, qui a conduit à une écrasante disproportion entre les moyens mis en œuvre par les deux camps : un calcul du coût de la propagande électorale diffusée dans les journaux télévisés du soir de six chaînes de télévision nationales entre le 17 novembre 2008 et le 7 janvier 2009 montre que le camp du oui avait dépensé 1 million 200 000 dollars en 52 jours quand l'opposition n'avait utilisé que 65 000 dollars, soit 19 fois moins (*La Prensa,* 14 janvier 2009). Cette campagne, comme celle du référendum révocatoire qui l'a précédée, a aussi été accompagnée de généreux dons aux propagandistes et suiveurs du MAS (notamment sous la forme de chèques vénézuéliens) pour les aider à convaincre les populations sous leur contrôle à obéir aux consignes du parti : le plus remarquable fut un chèque de 5 millions de dollars attribué au dirigeant de la CSUTCB, Isaac Avalos en avril 2008 (selon les dénonciations du sénateur Roger Pinto et du député Antonio Franco – le leader paysan a démenti, et les dénonciateurs ont été menacés d'un procès, mais jamais celui-ci n'a été enclenché). Les intimidations à l'égard de l'opposition et de la presse n'ont pas manqué non plus. Ainsi de larges parties du territoire ont été interdites aux opposants qui n'ont bien sûr pas pu y placer d'observateurs dans les bureaux de vote, le jour du scrutin. La Plaza Murillo, où se trouvent le palais présidentiel et l'assemblée nationale, a été interdite à l'opposition, dont l'ex-président Carlos Mesa qui en a été expulsé manu militari cinq jours avant le scrutin. Il y a eu aussi l'affaire de l'encre utilisée pour marquer les doigts des électeurs, qui aurait dû être indélébile, et qui ne l'était pas dans la plupart des cas, ce qui laisse penser que certains ont pu voter à plusieurs reprises.

Mais le plus important est ailleurs, dans la constitution des registres électoraux eux-mêmes. On s'explique mal pourquoi le nombre de votants inscrits dans le département de La Paz atteint 1 278 082 alors que celui de Santa Cruz n'est que de 868 332, sachant que, selon les projections de l'Institut national de statistiques (INE), à partir du recensement de 2001, les populations des deux départements sont actuellement sensiblement égales. Cette différence équivaut à 10 % des votants du référendum (*El Deber*, 13 février 2009).

Les manipulations des registres des votants ont principalement porté sur la possibilité de doubles, voire de triples inscriptions, et sur les mécanismes de dépuration (un non-votant de la précédente consultation ne peut normalement pas voter à la suivante). L'inscription multiple vient, entre autre, de la campagne de distribution gratuite de papiers d'identité, normalement à la charge de la police, mais quelquefois assurée directement par les syndicats, ou dans des bureaux installés par le MAS [3], amenant une croissance démesurée du nombre d'électeurs ruraux relativement aux électeurs urbains – alors que les campagnes se dépeuplent dans tous les départements d'altitude. Il est actuellement impossible de croiser systématiquement les données d'état civil, le fichier de la police (qui gère la distribution des cartes d'identité), les registres électoraux et d'autres fichiers encore, notamment ceux qui sont relatifs aux conscrits [4]. Quoi qu'il en soit, selon mes calculs, à La Paz il y a 464 votants pour mille habitants (en prenant comme base les projections de l'INE pour 2008) et sur l'ensemble de l'Altiplano (La Paz, Oruro, Potosi), il y

3. Le décret 28626 du 6 mars 2006 a pour but de créer une carte d'identité gratuite pour tous les Boliviens et de les inscrire par la même occasion sur les registres de l'État civil et sur les listes électorales. Il n'est plus besoin de présenter un extrait d'acte de naissance. Le programme a été lancé grâce au financement et l'aide de spécialistes Vénézuéliens.

4. Au vu de ces manipulations, la mission d'observation de l'Union européenne a recommandé une refonte totale des registres électoraux en vue des élections nationales prévues pour le mois de décembre prochain (*La Razón*, 27 février 2009).

en a 424 pour mille, alors que pour l'ensemble de la Demi-Lune ils ne sont que 300 pour mille. Les manipulations de listes sont telles qu'à Sacaba, dans la province Chaparé du département de Cochabamba – un fief du MAS –, en trois ans le nombre des inscrits est passé de 28 000 à 48 000 (Humberto Vacaflor, *La Razón,* 15 février 2009).

Le grand saut s'est produit entre 2006 et 2008, notamment dans les régions où Evo Morales a été le plus massivement reconduit dans ses fonctions de président. En deux ans, les listes ont accueilli une moyenne de 26 % de nouveaux inscrits dans les provinces pacéniennes de Nor Yungas et Sud Yungas, et dans celles de Tiraque et Chaparé, du département de Cochabamba. Les votes favorables à la reconduction ont été de 92,9 % Nor Yungas ; 95,6 % Sud Yungas ; 78,3 % Chaparé ; 96,4 % Tiraque (*La Razón*, 7 janvier 2009).

On s'explique mal aussi comment la participation au vote a grimpé à 90 % des électeurs au plan national (elle était de 83 % pour le référendum révocatoire, ce qui fait une différence de 300 000 votes) [5], et qu'elle ait atteint 97 % en zone rurale alors que la participation historique des électeurs de l'aire rurale avait oscillé de 69 % à 74 % de 1979 à 2004. Selon le géographe Luis Pedraza, dans au moins 800 bureaux de vote de la partie occidentale les votes négatifs, les votes blancs et les bulletins nuls auraient disparu et il ne resterait que les votes d'approbation. Déjà en août dernier 300 d'entre eux présentaient ce résultat miraculeux (Humberto Vacaflor, *op.cit.*). Dans ces cas-là, il y a sans doute eu des votes communautaires (toutes les consignes syndicales et d'organisations indianistes y incitaient), des sortes de vote troupeau, mais aussi des impositions ou des confiscations du vote par les dirigeants.

La mission d'observation électorale de l'OEA n'a fait état de violation du secret des suffrages que dans sept cas, dont six dans la province Omasuyos du département de La Paz et un dans la région *cocalera* du Chaparé. C'est très peu. Mais il est évident que la présence d'observateurs freine la fraude et que celle-ci se produit, précisément, là où ils ne sont pas, et là où l'opposition ne peut pénétrer [6]. En fait, le non a gagné dans la plupart des zones où il y a un contrôle électoral.

5. Le 10 août, le pourcentage de votants fut de 83,2 %. Les niveaux élevés de participation étaient concentrés dans quatre départements : Potosí, Oruro, La Paz et Cochabamba. Dans le département de Potosí, les bureaux de vote enregistrant plus de 95 % de votants furent 209, soit 10,4 % du total. Dans celui d'Oruro, il y en eut 80 soit 7,4 % ; La Paz 473 (7,2 %) ; Cochabamba 169 (4,8 %). Dans le reste du pays la proportion va de 2,1 % dans le cas de Chuquisaca à 0,5 % dans celui de Tarija (*La Razón,* 7 janvier 2009).

6. Seule Savina Cuéllar, préfet de Chuquisaca, contesta les résultats de son département. Ses avocats présentèrent des recours pour faire annuler le scrutin d'au moins une vingtaine de bureaux de vote (*La Razón*, 28 janvier 2009) et elle appela à la désobéissance civile (*desacato*).

Après cette victoire douteuse, il est possible qu'Evo Morales suive les pas de Hugo Chavez et cherche par un autre référendum, à se faire réélire indéfiniment – c'est du moins ce à quoi le poussent ses fidèles. À cet effet il lui faudrait changer l'article 168 de la nouvelle Constitution selon lequel la durée de mandat du président est de cinq ans renouvelable une seule fois.

S'il s'engage dans cette voie il est probable qu'il gagnera encore, comme il est probable qu'il se maintiendra à la présidence en décembre 2009 avec une large majorité de parlementaires de son camp. Il continue de jouir, en effet, d'une cote de popularité enviable, attestée par les sondages (autour de 50 %). Et la fraude lui assurera le gain, même en cas de baisse de popularité. D'autant qu'à l'arsenal frauduleux, à la propagande massive, à l'intimidation et la répression des opposants ou l'achat de leur collaboration – ou au moins de leur silence –, va s'ajouter l'effet de nouveaux décrets mettant en place des circonscriptions indigènes et organisant le vote des Boliviens de l'étranger ; un vote qui pourra être contrôlé par des chancelleries aux ordres.

Comme la crise économique mondiale va heurter brutalement l'économie nationale et que le gouvernement pourra de moins en moins satisfaire les exigences de ses suiveurs par des prébendes ou des primes, il sera sans doute amené à plus user encore de la contrainte et de la répression. C'est d'ailleurs une voie dans laquelle il est déjà engagé. Depuis la mort d'une quinzaine de civils dans un accrochage entre partisans et opposants du gouvernement le 11 septembre dernier, l'armée et la police ont fait du département du Pando un terrain d'entraînement. Le préfet du département, Leopoldo Fernández, est en prison et des commandos encapuchonnés arrêtent de nuit, sans mandat, par effraction, en terrorisant les proches, des adversaires du régime, supposés coupables, qui sont transportés à La Paz, et soumis à une justice aux ordres – des méthodes en contradiction avec l'article 25 de la nouvelle Constitution concernant l'inviolabilité du domicile, et condamnées par l'Église et l'ONU [7]. Selon le vice président Álvaro García Linera, les Boliviens devront s'accoutumer à voir la présence militaire de l'État, « la présence souveraine de nos Forces armées dans des régions auparavant abandonnées et converties en féodalités (*semirepubliquetas)* par des personnes étrangères ou fortunées » ; des Forces armées qui sont de plus en plus utilisées pour intimider les citoyens et traquer l'ennemi interne, comme aux temps de la dictature militaire.

7. La conférence épiscopale bolivienne avait aussi souligné, préalablement au vote, que la nouvelle Constitution autorise une marge appréciable de pouvoirs discrétionnaires en matière de droits civils et politiques : application rétroactive de sanctions pénales dans les cas de corruption (art. 123), conception large du délit de trahison à la patrie (art. 124), limites à la liberté d'expression (art. 107).

La rive gauche de l'Uruguay De l'arrivée du Frente Amplio au pouvoir et des difficultés de son gouvernement (2005-2009)

Octavio Correa et Denis Merklen *

Hors des frontières du pays, la connaissance politique de l'Uruguay se résume le plus souvent à trois temps forts : le « batllisme » des années 1900-1930, la guérilla des tupamaros pendant les années 1960-1970, et la dictature des années 1970-1980. En dehors de ces moments, l'Uruguay semble ne pas exister politiquement faute d'événement saillant. Le triomphe de la gauche lors des élections du 31 octobre 2004 réveille l'attention pour ce pays confiné entre l'Argentine et le Brésil.

La trajectoire de l'Uruguay, de même que celle de sa gauche, se distingue dans le contexte latino-américain [1]. Tout d'abord par la capacité d'adaptation des tupamaros, instigateurs de cette guérilla qui a sévi dans les années 1960 pour devenir, trente ans après sa défaite militaire, l'une des forces politiques centrales du nouveau gouvernement. Ensuite, par la capacité du Frente Amplio (Front élargi) à maintenir depuis 1971, dans un rassemblement de groupes et de partis, l'unité des forces de gauche. Comment cette gauche fait-elle pour gouverner ? Comment est-elle arrivée au pouvoir ? Quels sont les défis auxquels est confronté le gouvernement de Tabaré Vázquez ? Dans quelle

* Octavio Correa est étudiant en sciences politiques à l'université de la República, Uruguay. Denis Merklen est sociologue, maître de conférence à l'université Paris VII-Denis Diderot et membre de l'Institut de recherches interdisciplinaires sur les enjeux sociaux (IRIS-EHESS/CNRS).

Les auteurs remercient Valérie Lowit (université Paris VII-Denis Diderot) pour la relecture du texte.

1. Sur la singularité de la démocratie uruguayenne, voir Germán Rama, *La democracia en Uruguay*, ARCA, Montevideo, 1989.

mesure ce nouveau gouvernement suit-il les traditions politiques du pays et en quoi incarne-t-il une promesse de changement ? En quel sens le chemin pris par l'Uruguay diffère-t-il de celui des autres gouvernements de gauche en Amérique latine ? Autant de questions auxquelles cet article tente de répondre. Dans la première partie, nous étudierons les forces de gauche réunies autour du Frente Amplio ; dans la deuxième, nous analyserons quelques-uns des défis du gouvernement issu de la victoire de cette gauche.

Afin de mieux comprendre la situation de la gauche uruguayenne, recourir à une comparaison entre la República Argentina et la República Oriental del Uruguay, soit entre les rives droite et gauche du fleuve Uruguay, paraît approprié. La proximité historique et culturelle des deux peuples justifie, en effet, ce rapprochement, en même temps que leur évolution divergente permet de saisir les spécificités du cas uruguayen. Cette observation devrait également amener une meilleure compréhension des enjeux du différend qui oppose depuis 2004 les deux pays autour de l'implantation de projets économiques de grande envergure sur la marge gauche du fleuve.

La gauche et sa victoire

Une émotion générationnelle

L'arrivée de la gauche au pouvoir peut être analysée comme la fin d'un système bipartite vieux de 150 ans [2]. Mais il faut replacer l'événement dans son contexte et le relier à la trajectoire d'une génération politique. Ceux qui ont entre soixante et soixante-dix ans dans les années 2000, ont vécu la fin de l'Uruguay « batlliste » et se sont lancés dans sa transformation au début des années 1960. À ce titre, la victoire suscite une grande émotion politique. Marque-t-elle une forme de maturité de la gauche qui donnerait naissance à un nouveau paysage politique en Uruguay ?

Le 30 octobre 2004, les élections nationales permettent de rénover, en un seul acte électoral, la totalité des pouvoirs législatif et exécutif. La gauche l'emporte avec la majorité absolue dès le premier tour (52 % pour les législateurs, 50,6 % pour le gouvernement). La nuit du scrutin, des millions de personnes investissent les rues de tout le pays pour célébrer la victoire. À Montevideo, une foule immense répond à l'invitation du président élu : *Festejen, Uruguayos ! Festejen !* Ce soir-là, c'est la fête de ceux qui ont voté à gauche et qui se sont battus depuis 1971 pour une victoire de la coalition de gauche, le Front élargi. C'est la fête de tous les Uruguayens qui ont trouvé à gauche l'espoir d'une sortie à la crise terrible qui met le pays à genoux depuis 2002. Mais l'émotion politique atteint toute son intensité le 15 février 2005, jour où les législateurs élus prennent leurs fonctions.

---

2. Constanza Moreira, *Final de juego. Del bipartidismo tradicional al triunfo de la izquierda en Uruguay*, Trilce, Montevideo, 2004.

La loi uruguayenne prévoit un calendrier précis de quatre-vingt-dix jours pour la passation de pouvoir. Dans un premier temps, le sénateur ayant reçu le plus grand nombre de voix devient chef de l'État et des armées, prête serment et investit chacun des législateurs dans ses fonctions, les sénateurs d'abord, les députés ensuite. C'est ce qui se passe le 15 février 2005 lors d'une cérémonie solennelle. L'assemblée dirigera ainsi la République pendant quinze jours. Le 1er mars, le chef de l'État provisoire investira le président élu et son gouvernement, et redeviendra sénateur.

15 février 2005. Les images viennent du *Palacio Legislativo*, siège des deux chambres qui composent l'Assemblée nationale. La télévision transmet les cérémonies de prise de fonction des législateurs. Une foule immense d'un million de personnes (pour un pays qui en compte 3,2 millions) entoure l'Assemblée législative et son siège. D'architecture néo-classique, l'immense palais est de loin le plus beau et le plus luxueux bâtiment du pays. Les jardins qui l'entourent et la large avenue du Libertador Lavalleja qui domine la perspective, sont illuminés par des centaines de milliers de drapeaux à franges horizontales bleues, blanches et rouges ; ces couleurs placent la gauche uruguayenne dans la tradition révolutionnaire nationale, issue des luttes pour l'indépendance à l'aube du XIXe siècle (par opposition aux courants d'inspiration européenne typiques du XXe siècle). Le climat est celui d'une révolution pacifique : « J'étais là, je l'ai vu. C'était impressionnant, et très émouvant… ». Mais il ne s'agit pas de l'ambiance festive d'un carnaval. La joie populaire est teintée de nostalgie. À l'intérieur du palais un homme affable, petit et bedonnant, tente de retenir son sourire sans pouvoir empêcher ses joues de traduire la satisfaction de celui en qui l'immense majorité des Uruguayens voit un homme bon, un *juste* [3]. Les élections ont fait de José Mujica le sénateur élu avec le plus grand nombre de voix et son parti est devenu le premier groupe politique du pays. Pour quelques jours, il devient chef de l'État et chef des Forces armées, chargé de constituer l'Assemblée législative, laquelle assurera la continuité institutionnelle et consacrera deux semaines plus tard la prise du pouvoir par le nouveau président, le socialiste Tabaré Vázquez. En sa qualité de « premier législateur », José Mujica doit recevoir le serment de chacun des sénateurs. Simplement vêtu, il se tient au centre de la scène du sénat, et appelle en premier « Heleuterio Fernández Huidobro ». Celui-ci s'approche du pupitre, tout aussi ému par la cérémonie, et prête serment par une courte formule. Les deux hommes se donnent alors une chaleureuse accolade, *un abrazo* fraternel qui unit avant tout deux camarades, deux révolutionnaires. Cela ne dure que quelques secondes, mais l'embrassade entre *el Pepe Mujica* et *el Ñato Huidobro* consacre politiquement un acte de justice qu'aucun tribunal n'aurait pu instituer et dont ils sont évidemment conscients. Ils ont la soixantaine, mais personne ne cesse de

3. « Tu n'es pas ivre de pouvoir. C'est ce que pensent ceux qui ont voté pour toi et se fient à toi plus qu'au Bon Dieu ». Tels sont les propos de la journaliste María Esther Giglio à José Mujica dans un livre d'entretiens, *Pepe Mujica, de tupamaro a ministro. El loco encanto de la sensatez*, Le Monde Diplomatique, Buenos Aires, 2005, p. 34.

voir en eux l'image vivante des jeunes tupamaros, ces révolutionnaires, ces guérilleros ayant enchanté les générations des années 1960 et 1970 avec des actions plus ingénieuses que violentes. Puis ils sont écrasés par la répression, emprisonnés près d'une décennie et demie. Ceux qui furent humiliés, persécutés, torturés, diffamés incarnent désormais légitimement le cœur institutionnel de la démocratie. Le pays tout entier, y compris l'immense diaspora que l'exil a disséminée en Argentine, en Europe, en Australie, au Canada et aux États-Unis suit cet événement. Mais la cérémonie ne fait que commencer. *El Pepe* reçoit le serment de l'ensemble des sénateurs, puis des députés. Nora Castro, autre ex-guérillera tupamara – une femme de surcroît – prend la tête de la Chambre des députés : encore un symbole de la transformation à laquelle le pays s'est préparé non sans douleur. Deux autres moments forts de cette journée du 15 février 2005 resteront dans la mémoire de la plupart des Uruguayens : le serment de fidélité à la Constitution prêté par José Mujica, devant les membres de l'*establishment* blanco et colorado, les deux partis qui se sont partagé le pouvoir depuis leur création en 1830 ; et surtout, la prestation de serment du colorado Julio María Sanguinetti, par deux fois président (1985-1989 et 1994-1999) et membre le plus éminent du parti qui a organisé le coup d'État de 1973 et co-gouverné avec les militaires. Dernier acte de la cérémonie, José Mujica et Nora Castro sortent du palais pour passer en revue les Forces armées, ces mêmes militaires soupçonnés (mais jamais jugés jusque-là) de toutes les violations des droits de l'homme. Aucune euphorie ne se manifeste. Les uns et les autres savent que cette dictature tragique (1973-1985) qui a emprisonné, proscrit, tué et exilé ceux qui aujourd'hui prennent le pouvoir, peut maintenant s'inscrire dans l'histoire. Le passé cesse ainsi de dominer la société comme un présent perpétuel.

La gauche, une coalition hétérogène

Le gouvernement de Tabaré Vázquez est celui d'une coalition hétérogène de plus de quinze courants et partis, réunis dans le Front élargi, le Frente Amplio. Trois figures incarnent les principales forces de cette diversité. Il y a d'abord le président lui-même, membre du parti socialiste, médecin cancérologue, une personnalité forte et charismatique, qui entend faire de ce gouvernement « son » gouvernement. Il a été maire de la capitale (1989-1994) à l'époque des premières conquêtes de la gauche [4]. On connaissait Tabaré Vázquez comme quelqu'un de moderne, laïc et modéré ; une fois président, on le découvre nationaliste, lié à l'église catholique et pratiquant le pouvoir personnel. Le ministre de l'Économie, Danilo Astori, économiste brillant, a formé son propre parti, Asamblea Uruguay, rival de Vázquez dans la course à la présidence. Il représente l'aile « libérale » (au sens économique du terme) du Frente Amplio. Réputé pour son « pragmatisme », il est le moins enfermé dans une vision nationale de la politique. Enfin José Mujica, le tupamaro, leader du Mouvement de participation populaire (MPP), ministre de

4. Montevideo concentre 1,6 million d'habitants, soit la moitié de la population du pays.

l'Agriculture et de la Pêche, bénéficie d'une immense popularité et représente l'aile la plus radicale de l'alliance, à la fois révolutionnaire et nationaliste. D'autres partis sont également importants, même s'ils ont recueilli moins de voix. Certains ont un poids historique, comme les communistes dirigés par Marina Arismendi (fille du dirigeant historique du PCU et théoricien marxiste, Rodney Arismendi) ou le Nuevo Espacio de Rafael Michelini (fils de l'ancien sénateur Zelmar Michelini, assassiné par la dictature en 1976 alors qu'il était exilé à Buenos Aires), issu d'une scission du parti colorado passé à gauche en 1971. En octobre 2004, la gauche gagne les législatives avec 52 % des voix. Parmi ces forces le MPP des tupamaros en recueille 29,4 %, intègre le gouvernement avec deux ministères (Travail et Agriculture) et administre les gouvernements de la ville de Montevideo et de sa banlieue, Canelones. Asamblea Uruguay de Danilo Astori obtient 17,66 % des voix et le ministère de l'Économie. Les socialistes du président Tabaré Vázquez s'en sortent avec 14,85 % et plusieurs ministères dont celui des Affaires étrangères. Le maire sortant de Montevideo, Mariano Arana (centre-gauche, proche de Danilo Astori) remporte 8,92 % des voix et le secteur du candidat à la vice-présidence, Rodolfo Nin Novoa (venant à la gauche du parti blanco) 8,06 %. Le Parti communiste obtient, quant à lui, 6,15 % des voix et le ministère de l'Action sociale.

Comment une telle mosaïque s'y prend-elle pour gouverner ? C'est toute l'histoire du Frente Amplio. À sa naissance en 1971, l'alliance réunit la gauche traditionnelle, essentiellement des communistes, des socialistes, des catholiques et toute une myriade d'autres petits partis. Mais la coalition, par son statut même, permet le développement de nouveaux groupes. C'est le cas du « Mouvement des indépendants, 26 mars » impulsé par les tupamaros, et de deux autres provenant des partis traditionnels : le premier du parti colorado dirigé par Zelmar Michelini, et le second du parti blanco avec Enrique Erro à sa tête. Dès sa création, le Frente Amplio suscite également l'adhésion de nombreuses personnalités publiques, comme les chanteurs populaires Los Olimareños, Alfredo Zitarrosa, Daniel Viglietti et Numa Moraes, les écrivains Mario Benedetti, Eduardo Galeano, Idea Vilariño et Juan Carlos Onetti, ainsi qu'une large majorité d'universitaires et d'intellectuels. Fait important à souligner, plusieurs militaires quittent l'armée, en opposition à la radicalisation de cette dernière à droite, marquée par l'abandon de sa tradition de soumission au pouvoir civil sous l'influence des États-Unis. Le général Liber Seregni, alors commandant de la plus puissante force de l'armée de terre (le 1er corps de l'armée de terre), est le candidat présidentiel de la gauche en 1971 et demeure l'une des plus influentes personnalités du Frente Amplio jusqu'à sa mort en 2003.

La gauche s'inscrit dans la tradition politique de l'Uruguay, soit la coexistence d'un nombre impressionnant de petites organisations, parfois subdivisées en tendances de quelques dizaines de personnes. Les deux grands partis traditionnels (blanco et colorado) ont fonctionné ainsi depuis leur naissance au XIXe siècle. À l'intérieur du Frente Amplio, chaque groupe est en lui-même une fédération. Les tupamaros, par exemple, constituent un

« mouvement » réunissant des chrétiens, des blancos, des marxistes, des socialistes, et dans les années 1960, des révolutionnaires de toutes tendances (guévaristes, maoïstes, anarchistes, etc.) ; ils se sont fédérés derrière un slogan qui se démarque politiquement : « les mots nous séparent, l'action nous unit » (*las palabras nos separan, la acción nos une* [5]). À leur sortie de prison, ils créent le Mouvement de participation populaire (MPP), une coalition réunissant davantage de forces d'« extrême gauche » ainsi que des « indépendants ».

Cette tendance à la réunion de mini-groupes confère une grande souplesse aux organisations politiques et une grande indépendance aux individus, qui pourront changer de position sans quitter la constellation. Comment s'articule cette diversité dans la gestion gouvernementale ?

La gauche et la dictature

À regarder l'histoire récente après le triomphe de la gauche, il n'est pas exagéré de dire que les onze années de dictature militaire (1973-1984) n'ont pas provoqué un changement fondamental du système politique uruguayen. La dictature arrive certes à freiner le potentiel de contestation sociale cumulé dans les années 1960 et 1970. Les militaires mettent en place un formidable dispositif de répression et de contrôle social, dont les principaux instruments furent la prison, la suppression des libertés publiques, la proscription de syndicats et partis politiques [6]. Les dirigeants de gauche sont emprisonnés, tués, contraints à l'exil, pas un seul ne reste en activité. Le Frente Amplio et ses partis sont proscrits, tandis que la grande majorité de ses militants subit la répression. Mais la dictature ne transforme pas radicalement le paysage politique, et ne modifie en rien les inerties créées avec le Frente Amplio en 1971, à l'inverse des dictatures militaires argentine et chilienne de la rive droite de l'Uruguay. La répression a introduit un changement durable à gauche de l'Uruguay uniquement sur deux terrains. D'une part, la « Révolution » disparaît pratiquement de l'horizon discursif de l'ensemble des

5. Eleuterio Fernández Huidobro, *Historia de los Tupamaros*, 3 vol., TAE, Montevideo, 1986-1987, voir notamment le volume I, *Los Orígenes*.

6. Comparativement, la dictature uruguayenne fut à la fois moins sanguinaire et plus totalitaire que le régime militaire argentin (1976-1983). Alors que les militaires argentins ont fait « disparaître » 30 000 opposants, les militaires uruguayens tuèrent au total moins de 300 personnes. Cependant, l'Uruguay compta un grand nombre de prisonniers politiques et la torture fut systématique. Trois caractéristiques distinguent la dictature uruguayenne : la tentative de donner un visage légal à la répression (alors que, inspirée par la « bataille d'Alger », la dictature argentine réprima dans la clandestinité, d'où le besoin de faire disparaître le corps des personnes assassinées), les conditions particulièrement atroces de détention des leaders des *tupamaros* (maintenus en qualité d'otages dans l'isolement le plus absolu pendant plusieurs années), la classification de l'ensemble de la population en trois catégories de citoyens : « A », « B » et « C ». Classés en « C », les opposants au régime voyaient leurs droits civiques particulièrement limités (par exemple, ils ne pouvaient pas travailler dans la fonction publique ni sortir du pays).

forces politiques. D'autre part, les mouvements de guérilla vaincus renoncent à la violence et s'intègrent au jeu démocratique. Sur tous les autres plans, le système politique uruguayen semble se modifier graduellement à partir de 1971, par l'imposition progressive d'une troisième force qui casse le jeu bipartiste des partis « traditionnels [7] ».

À partir de 1985, le Frente Amplio recompose ses structures et continue son expansion électorale ; sous cet angle rétrospectif, la dictature ne semble avoir constitué qu'une pause. Le Frente Amplio s'avère un mouvement en constante expansion. Il obtient 18 % des voix en 1971, 21 % en 1984 au sortir de la dictature, arrive au deuxième tour de l'élection présidentielle en 1999 et gagne les élections avec une majorité absolue dès le premier tour en 2004 [8]. En 1989, le Frente Amplio conquiert le gouvernement de Montevideo, abritant la moitié de la population du pays, et s'y maintient durablement, remportant trois élections consécutives.

La gauche uruguayenne progresse ainsi pendant plus de trois décennies. Le 26 mars 1971, une immense manifestation a soudé et rendu publique l'alliance de pratiquement toutes les forces de gauche, six mois à peine avant les élections générales du mois d'octobre. L'impact sur le système politique est immédiat [9]. Pour la première fois dans l'histoire du pays, une troisième force ouvre une place à gauche, scellant la mort du bipartisme après cent cinquante années de partage du pouvoir.

Le nombre de voix s'en trouve immédiatement multiplié par deux. En plus des effets provoqués par l'alliance des partis de gauche, le Frente Amplio représente le point culminant d'un processus d'accumulation des forces sociales qui traversera également la période de la dictature [10]. La crise économique et la réforme constitutionnelle de 1966 ont exacerbé les conflits et ravivé les mouvements sociaux [11]. Dès 1960 plusieurs groupuscules se sont lancés dans la lutte armée, pour se rassembler en 1963, constituer le Mouvement de libération nationale – Tupamaros (MLN-T) et devenir une

---

7. Nous renvoyons ici à l'analyse de cette « fin de jeu » faite par Constanza Moreira, *Final de juego, op. cit.*

8. La Constitution uruguayenne prévoit des élections législatives et présidentielles simultanées, l'exécutif et le législatif se renouvelant tous les 5 ans : 1989, 1999, 2004, 2009...

9. En 1971, le *Frente Amplio* obtient 18,6 % des suffrages au niveau national (41 % pour les *colorados* et 40 % pour les *blancos*), et 30 % à Montevideo. La gauche constitue la deuxième force de la capitale. Jusqu'alors l'ensemble des partis de gauche réunissait toujours moins de 10 % des voix (8 % pour les élections de 1968). cf. Gerardo Caetano, Jose Pedro Rilla, *Breve historia de la dictatura (1973-1985)*, Ediciones de la Banda Oriental, Montevideo, 1998 (2e édition).

10. Pour une analyse de la conjoncture uruguayenne préalable au coup d'État de 1973, voir Carlos Rama : « La farce électorale et ses lendemains », *Les Temps Modernes,* n° 309, 29e année, Paris, avril 1972, pp. 1561-1575.

11. La réforme constitutionnelle de 1966 met fin au gouvernement collégial, avec un retour au régime présidentiel et une importante concentration du pouvoir.

véritable « guérilla de masse » vers 1970 [12]. En 1965 s'est tenu le Congreso del pueblo (« congrès du peuple »), assemblée d'organisations politiques, syndicales et étudiantes qui joue un rôle majeur dans la configuration de l'espace de gauche avec la création de la CNT, la Centrale nationale des travailleurs. Cette dernière met fin à la coexistence éparpillée des organisations syndicales et institutionnalise l'unité syndicale (rebaptisée PIT-CNT après sa proscription par la dictature) [13]. En parallèle, les étudiants et les lycéens se mobilisent, eux aussi, derrière leurs organisations unitaires. À cette même époque, en 1970, un autre mouvement social de grande importance voit le jour: la Fédération uruguayenne des coopératives de logement par l'entraide (FUCVAM), conséquence, elle aussi, d'un processus d'unification de mouvements urbains. L'importance de la FUCVAM vient d'abord de son rôle dans le logement (en 1974 le système des coopératives construit 54 % du total des logements bâtis en Uruguay), mais aussi de son engagement comme l'une des principales voix contestataires du régime pendant la dictature. Intégrée à la centrale ouvrière, la FUCVAM surmonte également la dictature pour constituer ensuite un autre pilier important de la gauche [14]. Enfin, le mouvement de défense des droits de l'homme surgit en réponse à la répression dictatoriale, notamment pour dénoncer les conditions de détention des prisonniers politiques puis pour réclamer justice et dénoncer le sort des disparus [15].

Une structure flexible et adaptée au système politique

La gauche a su se doter d'une organisation politique singulière, permettant au Frente Amplio de traverser plusieurs épreuves et de garder son identité. Cette souplesse résulte d'un mode de fonctionnement interne, qualifié de « mixte » dans les documents du Front élargi: coalition de forces d'un côté, mouvement unitaire de l'autre. Le Frente Amplio est gouverné par une direction collégiale, la mesa política, composée de deux types de membres: un

12. Sur les *tupamaros* voir notamment Alain Labrousse, *Les Tupamaros: guérilla urbaine en Uruguay*, Le Seuil, Paris, 1971; Eleuterio Fernández Huidobro, *Historia de los Tupamaros*, 3 vol., TAE, Montevideo, 1986-1987; Nelson Caula, Alberto Silva, *Alto el fuego. Fuerzas armadas y Tupamaros, 1972-1973*, Rosebud ed., Montevideo, 1986; Samuel Blixen, *Sendic*, Trilce, Montevideo, 2000; Miguel Angel Campodónico, *Mujica*, Fin de Siglo, Montevideo, 1999.

13. Pour une analyse historique du syndicalisme en Uruguay, voir Jorge Lanzaro, *Sindicatos y sistema político. Relaciones corporativas en el Uruguay (1940-1985)*, FCU, Montevideo, 1986. Pour une appréciation des transformations plus récentes des syndicats qui s'affirment comme acteurs de l'espace public, voir Marcos Supervielle et Mariela Quiñones, « Reforma laboral y nuevas funciones del sindicalismo en Uruguay », *Revista Estudios del trabajo*, n° 22, ASET, Buenos Aires, second semestre 2001.

14. Sur la FUCVAM, voir Carmen Midaglia: *Las formas de la acción colectiva en Uruguay*, Ciesu, Montevideo, 1992.

15. Sur le mouvement de défense des droits de l'homme en Uruguay, voir Eugenia Allier Montaño, *Une histoire des luttes autour de la mémoire sur le passé récent en Uruguay, 1985-2003*, EHESS, Paris, thèse en histoire et civilisations, 2004.

représentant par parti politique présent, pourvu d'une voix, indépendamment du poids électoral de sa formation ; et les représentants de la base, élus au suffrage direct par l'ensemble des militants. Cette forme de direction mixte rend possible la cohabitation de courants, leaders, partis et programmes hétérogènes, tout en créant une identité *frenteamplista,* résultant de ces décisions collectives. La coalition n'a ainsi jamais fonctionné comme une alliance de partis, où les décisions auraient été prises en fonction du poids électoral de chacun. La règle d'« un parti, une voix » donne une grande force aux petites formations et la présence de la base confère une surreprésentation aux militants faisant contrepoids au leadership des personnalités de chaque parti. Direction et appareil apprennent à manier consensus et règle de la majorité pendant plus de trente-cinq ans, contribuant ainsi à inscrire la gauche uruguayenne dans une tradition plus politique qu'idéologique, contrairement aux autres gauches latino-américaines. Beaucoup plus qu'un programme ou système de valeurs très arrêté, le Frente Amplio apparaît comme une constellation où chaque élément est lié par sa capacité à négocier, traiter, arranger, conjuguer accord et dissension, et par sa disposition à agir collectivement tout en marquant sa spécificité. Les leaders de chaque force se voient souvent désavoués par des militants qui s'opposent à leurs dirigeants. La différence est abyssale avec l'histoire de la gauche argentine, qui n'a jamais été capable de construire des mécanismes institutionnels d'entente.

Mais ce sont surtout la loi électorale et le système politique conçus par les partis traditionnels qui permettent de comprendre cette faculté d'adaptation de la gauche en Uruguay. En effet, cette tendance à la formation de partis politiques à partir de la fédération de petits groupes et personnalités n'appartient pas exclusivement à la gauche. Cette même caractéristique explique la longévité des deux grands partis traditionnels, de surcroît les plus anciens d'Amérique latine [16]. Blancos et colorados sont à l'origine de cette structuration partisane autour de « listes », groupes et tendances, souvent contradictoires, tandis que la loi électorale uruguayenne, dite *ley de lemas*, l'institutionnalise. Chaque parti peut ainsi présenter un ou plusieurs candidats, aussi bien à la présidence de la république qu'aux postes de maire, député ou sénateur. Les voix obtenues par les candidats individuels et par les listes d'un même parti s'additionnent. Ce système soutient la cohabitation d'un nombre important de courants concurrents et établit les partis comme des machines politiques (de conquête du pouvoir) plus que des organisations idéologiques munies d'une pensée unifiée.

Dès sa naissance, le Frente Amplio dénonce le caractère « trompeur » de ce système. Les gens votent pour un certain candidat mais au final les voix sont attribuées à un autre du même parti. En 1971, le cumul des voix

16. Les deux formations se consolident à partir de la Constitution de 1830 (la première Constitution de l'Uruguay indépendant) ; leurs dénominations apparaissent au cours de la bataille de Carpintería en 1832, où les deux parties s'affrontent, chacune identifiée par une devise rouge (*colorados*) ou blanche (*blancos*). cf. Caetano, Rilla, *op. cit.*

exprimées pour Julio Sanguinetti et pour Jorge Batlle permet ainsi à José María Bordaberry de gagner les élections par addition des voix coloradas, alors que le candidat blanco, Wilson Ferreira, obtient plus de voix directes que son rival. C'est pourquoi le Frente Amplio ne présente toujours qu'un seul candidat à l'exécutif, même si ses chances sont faibles, mais tolère les listes multiples pour les députés et les sénateurs. Il n'a donc pas à résoudre les conflits internes avant les élections, tirant ainsi paradoxalement profit de la « maudite » *ley de lemas,* qui « favorisait toujours les mêmes ». Le parcours de la gauche uruguayenne s'inscrit ainsi dans la continuité et la stabilité, plutôt que dans la rupture avec le système politique « traditionnel » tant combattu [17].

La gauche sait aussi profiter d'une autre particularité du système politique : le référendum d'initiative populaire, reconnu par la Constitution. Il suffit que 10 % du corps électoral présente une pétition signée en vue d'abroger une loi pour que la Cour électorale se voie contrainte d'organiser un référendum. À trois reprises, la gauche sollicite ce mécanisme. En 1989, pour supprimer la loi d'amnistie qui accorde l'impunité aux militaires impliqués dans des violations des droits de l'homme, en 1994 pour annuler la loi qui permettrait la privatisation des entreprises publiques, et en 2004 pour protéger l'eau potable de toute tentative de privatisation. L'analyse de ces événements permet de mieux comprendre la constellation d'une gauche qui va au-delà de la simple alliance électorale. Dans les trois cas, c'est la centrale ouvrière unifiée PIT/CNT qui lance la collecte de signatures et impulse l'intégration de nombreux mouvements sociaux aux « commissions pro-référendum » ad hoc créées pour chaque occasion. En 1989, la gauche perd le référendum ; ce lourd revers explique le retard du pays en matière de procès contre les militaires, en comparaison notamment avec l'Argentine, où les tribunaux ont agi dès la fin de la dictature et où, pour la première fois dans l'histoire, un pays a fait le procès de ses propres tortionnaires sans avoir été vaincu dans une guerre. En 1994 et 2004, la gauche l'emporte, empêchant pratiquement toute privatisation, contraignant du coup les gouvernements successifs colorado, blanco puis à nouveau colorado, à moderniser l'État sans recourir à cet outil redoutable du néo-libéralisme des années 1990. On imagine l'efficacité d'un tel obstacle pour ces gouvernements alors totalement tournés vers l'orthodoxie du « consensus de Washington ». Là encore, la comparaison s'impose entre les rives droite et gauche de l'Uruguay, puisque, le gouvernement de Carlos Menem (1989-1994 et 1994-1999) en Argentine, a privatisé la totalité des entreprises publiques, y compris les services urbains,

17. Ce système a été partiellement réformé en 1996, empêchant les candidatures multiples aux postes du pouvoir exécutif. Cette réforme a été introduite comme concession à la gauche lorsque *blancos* et *colorados* ont modifié la loi électorale pour introduire le ballottage dans l'espoir de retarder l'arrivée du *Frente Amplio* au pouvoir. Pour une analyse du système politique uruguayen, voir Luis Eduardo González, *Estructuras políticas y democracia en Uruguay*, FCU, Montevideo, 1993.

les banques, les ports, les aéroports [18]. Le référendum fédère à nouveau les forces hétérogènes de la gauche en leur donnant des objectifs ponctuels à atteindre, sans la nécessité de parvenir à des accords globaux sur l'ensemble de la politique nationale.

Ce système politique complexe et singulier dont hérite la gauche, l'aide dans le même temps à se structurer comme coalition stable dans la diversité. À l'instar des partis « traditionnels » qu'il a tant combattus, le Frente Amplio est un parti *attrape-tout*. De fait, jusqu'au coup d'État de 1973 où la menace de la gauche le déstabilise, le système politique montre une grande capacité à résoudre les conflits dans le cadre de l'ordre institutionnel. À ce propos, Carlos Real de Azúa, dans un essai devenu célèbre, indique que l'Uruguay est une « société amortisseuse » [19], par opposition aux autres sociétés latino-américaines, et plus particulièrement à la société argentine, incapable de gérer ses conflits sans rupture institutionnelle et sans recourir, sauf exception, à la voie militaire.

Le capital social de la gauche

En parallèle à cette lecture institutionnelle qui veut que la gauche s'inscrive dans le système politique uruguayen pour faire éclater un bipartisme qu'elle-même qualifie de « traditionnel », les analystes soulignent que la force de la gauche uruguayenne provient de sa capacité à s'articuler aux mouvements sociaux et à peser sur la socialisation politique des classes moyennes et populaires. Le premier programme du Frente Amplio, lors des élections de 1971, reprend point par point les conclusions du « Congrès du peuple » de 1965, mouvement social à l'origine de l'unification de la centrale des travailleurs. Cette centrale syndicale, au rôle déterminant et toujours au cœur des mobilisations, organise les référendums, accueille d'autres mouvements sociaux, comme ceux des droits de l'homme, et modifie son répertoire d'action de la grève et de la manifestation de rue pour l'orienter vers une action directe sur l'opinion publique [20]. La capacité socialisatrice de la gauche ressort plus clairement à travers deux autres mouvements sociaux. Ainsi la Fédération uruguayenne des coopératives de logement par l'entraide (FCVAM), ne tire pas son poids de sa capacité à mobiliser un nombre important d'habitants dans la rue. L'impact du mouvement urbain est beaucoup plus profond, si on regarde son activité comme une action culturelle. Financées par l'État

18. Contrairement à ses voisins, l'Uruguay modernisa effectivement l'État et l'administration par une importante informatisation des services. Plus important encore, l'État modernisa ses services urbains. L'Uruguay est ainsi le pays latino-américain qui présente le meilleur réseau téléphonique, ainsi que la meilleure couverture en services d'assainissement des eaux usées et du tout à l'égout.

19. Carlos Real de Azúa, *Uruguay, ¿una sociedad amortiguadora ?*, CIESU – Banda Oriental, Montevideo, 1984.

20. À propos de cette évolution des syndicats uruguayens, voir Marcos Supervielle et Mariela Quiñones, « Reforma laboral y nuevas funciones del sindicalismo en Uruguay », *Revista Estudios del trabajo*, *op. cit.*

à travers la Banque hypothécaire, ces coopératives se constituent comme des collectifs d'auto-construction où chaque membre et futur habitant du quartier doit fournir un quota de travail personnel dans la construction des logements, sans jamais savoir quel sera son logement. Il s'inscrit ainsi dans une dynamique purement collective, renforcée par le statut de copropriété de l'ensemble bâti. La coopérative est propriétaire de l'ensemble des logements et des équipements collectifs (crèches, centres culturels, centres sportifs, etc.) construits par ses membres. Les habitants ne deviennent propriétaires que parce qu'ils sont membres de la coopérative. Ils acquièrent un statut d'*usuario* (usager) donnant le droit ad vitam de vivre dans le logement, susceptible d'être transmis par héritage. Cette collectivisation du rapport au logement et à la vie de quartier s'inscrit comme une action culturelle allant bien au-delà de toute logique de concurrence partisane.

Sur le terrain de la culture, la musique populaire vit également une inflexion dans les années 1960 avec l'émergence du *canto popular* (la chanson populaire). Cette mouvance transversale à l'ensemble des styles de musique populaire plus ou moins traditionnels en Uruguay, s'enrichit grâce à l'œuvre d'artistes tels Les Olimareños, El Sabalero ou Aníbal Sampayo, des rythmes du folklore rural en faisant de celui-ci un mouvement typique de « chansons à texte ». Une mouvance similaire, probablement plus profonde encore, existe en milieu urbain. Deux artistes en particulier apportent à la musique populaire uruguayenne un impact et une reconnaissance internationale, plus spécifique en Amérique latine. Il s'agit de Daniel Viglietti et d'Alfredo Zitarrosa, le premier étant identifié aux tupamaros, le second aux communistes. Ils acquièrent un statut d'« universalité » dans l'espace culturel uruguayen, par une exploitation très fine de ce style « populaire savant » typique de la chanson à texte, travaillant sur les rythmes traditionnels comme la *milonga,* mais l'enrichissant avec des formes mélodiques venues de la musique classique ou du jazz. L'impact, en termes de socialisation politique, de ce mouvement qui modifie profondément la culture populaire s'observe dans le carnaval uruguayen. La *murga* (de tradition espagnole) et le *candombe* (issu de la présence noire à Montevideo) changent alors totalement de statut. Ce qui était un mouvement populaire de quartier sans aucune reconnaissance artistique devient une véritable industrie, s'associe au rock et se transforme en mouvement culturel le plus important de la société uruguayenne. Des *murgas* comme *Araca la cana* (« Gare aux flics ») ou *Falta y Resto,* et des artistes comme Ruben Rada, Jorge Lazaroff et Jaime Roos, sortent du quartier non seulement pour conquérir le centre-ville, la radio et la télévision, mais pour devenir aussi de véritables produits d'exportation. L'ensemble de ces musiciens joue un rôle fondamental dans l'élaboration de la critique sociale, dans la formation des espoirs collectifs et même dans la reconstitution de la tragédie de la dictature par restitution de la mémoire collective [21].

21. Voir à ce propos le chapitre n° 4 de la thèse d'Eugenia Allier, *op. cit.*

Quand le rêve du changement devient besoin de développement

La panne

« L'Uruguay est un pays en voie de sous-développement »
Mario Benedetti (dans les années 1990)

Lorsque nous comparons l'Uruguay d'aujourd'hui avec les autres pays latino-américains, nous voyons la force et la persistance de cette « démocratie sociale » uruguayenne, créée de toutes pièces par l'État sous l'impulsion du batllisme. Tous les indicateurs placent la société uruguayenne parmi les plus équitables du continent, bien classée au niveau des distributions du revenu et de l'indice du développement humain élaboré par les Nations unies. Cependant son modèle économique est sur le déclin depuis plus de cinquante ans, érodant continuellement les bases de cette démocratie sociale.

C'est pendant la période dominée par José Batlle y Ordoñez que le pays entre de manière fulgurante dans la modernité [22]. « L'ensemble de mesures introduites entre 1903 et 1930 fit de l'Uruguay une démocratie sociale unique sur le continent et probablement au monde, modèle dont se rapprochèrent plus tard les régimes sociaux-démocrates de Scandinavie, d'Allemagne et d'Autriche [23]. » Batlle gouverne deux fois le pays (1903-1907 et 1911-1915) et l'influence de son action s'étend pendant plus d'un demi-siècle. L'Uruguay est alors un pays riche et une conjoncture économique favorable dope son économie, mais ce n'est pas sur ce terrain que le pays se distingue. Sur le plan politique, l'Uruguay connaît le suffrage universel masculin en 1914, les femmes obtiennent le droit de vote en 1916 et votent pour la première fois en 1932 ; la peine de mort est abolie et l'État séparé de l'Église en 1907. Sur un plan civil, le divorce par consentement mutuel est instauré en 1910 et dès 1911, rendu possible par la seule volonté de la femme ; cette même année le droit au congé maternité est sanctionné. L'enseignement religieux est supprimé dans les écoles publiques en 1909 et la gratuité de l'éducation, établie en 1877 pour le primaire, est étendue au secondaire et à l'université en 1916. L'enseignement supérieur s'ouvre aux femmes en 1921. À titre de comparaison, l'Argentine sépare l'Église de l'État et reconnaît le droit au divorce seulement en 1994, les femmes votent pour la première fois en 1952, la laïcité dans l'enseignement public est reconnue en 1958 et les principales lois visant la régulation du marché du travail ou la protection sociale des travailleurs sont ratifiées par le péronisme des années 1940.

---

22. Deux ouvrages majeurs font référence pour l'étude de « l'Uruguay batlliste », soit la période qui va de 1904 à 1958 : José Pedro Barrán, Benjamín Nahun, *Batlle, los estancieros y el imperio británico*, 8 vol., Ediciones de la Banda Oriental, Montevideo, 1979-1987, et Carlos Real de Azúa, *El impulso y su freno,* Ediciones de la Banda Oriental, Montevideo, 1964.

23. Alain Touraine, *La parole et le sang. Politique et société en Amérique latine*, Odile Jacob, Paris, 1988, p. 270.

Dans le domaine des libertés civiles, de l'économie et du social, Batlle promeut un ensemble non moins impressionnant de lois sur le travail et le droit d'association. Naît alors en Uruguay un véritable « mouvement ouvrier », un « syndicalisme de classe », tant par l'importance des réformes qu'il obtient que par son « indépendance » vis-à-vis du pouvoir politique [24]. Dans les années 1940 et 1950, le syndicalisme trouve un nouveau souffle avec la dernière impulsion à l'industrialisation que connaît le pays au cours du XXe siècle, sous la présidence de Luis Batlle Berre (1947-1958) [25]. Ce syndicalisme indépendant, dans sa structure du début du siècle, reste très fortement lié à la gauche encore aujourd'hui – une autre différence avec l'Argentine où le syndicalisme devient définitivement péroniste dès 1945.

Le pays inaugure également sous Batlle la forme essentielle de son économie. Ainsi, une réorientation par l'État de l'excédent économique généré par les exportations agricoles (de viande et de laine) du début du XXe siècle, permet la modernisation et la diversification de l'économie rurale et une industrialisation « par substitution des importations » dans les années 1930 et pendant la Deuxième Guerre mondiale.

Si l'impulsion batlliste pose les bases de cette société moderne et intégrée qui traverse la totalité du XXe siècle, en revanche, elle ne prépare pas la structure économique à un développement conséquent. Jamais le pays ne réussit à diversifier sa base productive, ni pour le marché intérieur ni pour ses exportations, tandis que l'effort d'investissement des classes dirigeantes uruguayennes s'avère minime depuis les années 1950. Dans les années 1970, le rythme de croissance diminue et l'inflation atteint des niveaux insupportables, comme en 1967 et 1968 avec 183 % par an. Les conséquences sociales sont immédiates. Le salaire de 1976 ne représente que 70 % de celui de 1957, la proportion de la population touchée par la pauvreté passe de 9,4 % à 25 % entre 1963 et 1976 [26]. En 1950, près de 40 % de la population travaille dans l'industrie, contre 15 % en 2000. Au moment de la crise de 2002, le nombre de chômeurs (16,5 % de la population active) dépasse celui des ouvriers. À partir de 1958, le pays subit une migration constante de la partie la plus dynamique de sa population donnant à ce pays du Sud la structure démographique d'un pays vieillissant.

Dans les années 2000, la hausse des prix des aliments dope une nouvelle fois les exportations uruguayennes. L'Uruguay entre dans le XXIe siècle avec

24. Alain Touraine, *op. cit.*, p. 270.

25. Luis Batlle Berre est le neveu de Batlle y Ordoñez. Président de 1947 à 1958, son influence s'étend jusqu'en 1962, et on qualifie son gouvernement de « néo-batllisme ». Il a notamment promu l'industrie nationale et a été à l'origine de l'étatisation de la production d'alcool, de combustibles et de ciment, de la totalité des ports, de l'eau potable et de l'assainissement. Il a créé également de nombreuses entreprises publiques, comme l'équivalent uruguayen de la SNCF, l'Asociación de ferrocarriles del Estado.

26. Pour une analyse de la période, voir Benjamín Nahum *et al.*, *El fin del Uruguay liberal*, Ediciones de la Banda Oriental, Montevideo, 1998.

les mêmes atouts qui firent son bonheur au début du XXe siècle. Les produits agricoles et la viande bovine constituent toujours la principale richesse exportable. Mais le nombre de têtes de bétail ne varie pas entre 1900 et 2000, soit environ 1,5 million de vaches. Donc l'Uruguay organise la distribution de sa richesse et structure un très solide système de protection sociale, en revanche il reste incapable de bâtir une base économique solide. Là se situe le cœur du défi pour le gouvernement de la gauche. Au lieu d'être un projet de « distribution » de la richesse, sa tâche ressemble plutôt à la création d'un capitalisme viable.

Le papier et le développement

L'arrivée du Frente Amplio au pouvoir place la gauche uruguayenne face à une vraie gageure. Il est impensable pour le gouvernement d'orienter son action seulement en fonction d'un projet de redistribution et de « justice sociale ». Le gouvernement se trouve face à l'immense difficulté de donner à l'économie, et à la société, un projet de développement, et de fonder un socle commun permettant de surmonter les fragilités d'un modèle basé sur une économie de l'élevage et de la production de céréales. En conséquence, le Frente Amplio fait campagne derrière le slogan *por un país productivo,* « pour un pays productif ». Il s'agit de réunir un front d'opposition au projet « un Uruguay de services » promu par les partis traditionnels pendant les années 1980 et 1990, grâce auquel la droite réussit une coalition libérale, mais qui conduit à un échec sévère sur les plans social et économique. Le chômage et la pauvreté sévissent à des taux intolérables pour la société uruguayenne, tandis que l'exode de la jeunesse atteint des niveaux dramatiques. À partir de l'année 2000, le processus migratoire a un solde négatif de quelque vingt mille individus par an, chiffre extrêmement élevé pour l'Uruguay, car il coïncide avec la croissance naturelle de la population. Résultat, la croissance démographique est pratiquement nulle dans un pays d'à peine 3,2 millions d'habitants. Comme ceux qui partent sont majoritairement des jeunes, cette émigration a non seulement un coût social et économique élevé, mais se traduit par une diminution nette du taux de natalité [27]. Dire que la crise économique provoque le tarissement de la croissance démographique du pays, c'est prendre conscience de la panne qui touche son développement.

Pendant les vingt années succédant la dictature, l'Uruguay parie sur son intégration dans le Marché commun du sud (Mercosur) [28]. Pour ce faire, le pays ajoute au versant agricole de son économie une série d'initiatives dans le domaine des services, devant lui permettre de suivre le train de l'intégration

27. Pour une description de ce phénomène radical, voir les travaux d'Adela Pelegrino.
28. Union commerciale créée en 1991 entre l'Argentine, le Brésil, le Paraguay et l'Uruguay.

régionale (tourisme, services bancaires et financiers [29]) ainsi qu'une série d'activités liées au commerce et au transport de marchandises, où s'inscrit la rénovation de son infrastructure portuaire comme porte d'entrée et de sortie du Mercosur : toute une projection vers une économie de services, alimentée par une nouvelle insertion internationale redéfinie à partir de la place à occuper entre l'Argentine et le Brésil. L'Uruguay veut ainsi profiter de sa condition historique d'« État tampon » pour accueillir les institutions du Mercosur, installées à Montevideo, sur le modèle de ce que Bruxelles représente pour l'Union européenne. Ce projet, où blancos et colorados se retrouvent, efface pratiquement toute ambition de développement industriel ou limite ce dernier à la seule diversification de son secteur agricole vers des branches en expansion, comme le riz et le secteur sylvicole [30].

Entre les années 1980 et 2000, trois cent mille hectares de bois sont plantés en Uruguay, essentiellement des conifères et des eucalyptus destinés à la production de papier et exportés vers l'Europe sous la forme de *chip* (première étape de la fabrication de pâte à papier). En phase avec ce projet, plusieurs firmes à capital européen (espagnol, finlandais et suédois) trouvent en Uruguay une possibilité de développement du secteur, face à une industrie sud-américaine du papier aux infrastructures vieillissantes. Vers la seconde moitié des années 1990, ces entrepreneurs achètent des terres destinées à la culture forestière et commencent l'installation d'usines de fabrication de pâte à papier. Le gouvernement de Luis Alberto Lacalle (blanco, 1990-1995) lance la forestation, celui de Jorge Batlle (colorado, 2000-2005) autorise l'installation des deux premières usines de pâte à papier sur la rive gauche de l'Uruguay, tout près de l'embouchure du fleuve à l'estuaire du Río de la Plata. Ces entreprises développent en parallèle un port et une zone franche. Il s'agit des firmes Ence, de capital espagnol, et Botnia, de capital finlandais. Avec une capacité de production de grand volume, les deux usines réunies peuvent modifier le paysage régional de l'industrie du papier, dominée jusqu'ici par l'Argentine et le Brésil. L'investissement total atteint plus de 2 milliards de dollars, un chiffre colossal pour l'Uruguay, qui depuis plus d'un demi-siècle n'accueille pratiquement aucun projet industriel de taille. Les sommes investies par ces premières installations industrielles représentent à peu près 10 % du produit intérieur de l'Uruguay (valeur de 2005), sans compter les retombées secondaires en matière d'infrastructure et d'emploi

29. En 1982, les militaires décident le secret bancaire pour l'Uruguay. Il n'a pas été abrogé et la gauche au pouvoir l'a maintenu. Le pays prétend ainsi devenir un mini-centre financier pour le Cône Sud.

30. Sur le secteur agro-forestier, voir Pierre Gautreau, « L'expansion sylvicole dans le Río de la Plata : la dimension oubliée du conflit des usines de pâte à papier entre l'Uruguay et l'Argentine », dans J.-C. Garavaglia et D. Merklen : *El conflicto de las papeleras entre Uruguay y Argentina*, Nouveau Monde – Mondes Nouveaux, revue en ligne, EHESS, Paris, 2008, http://nuevomundo.revues.org

notamment [31]. Ce que les gouvernements blanco et colorado ont concédé impressionne tout autant : situées à proximité de la ville de Fraibentos, les deux firmes bénéficient de la mise en place d'une zone franche qui libère les entreprises de toute obligation tributaire, au niveau de l'investissement, de la production et de la commercialisation, pendant une période de cinquante ans. En outre, l'État se porte garant face à toute tentative de modification des conditions concédées dans le contrat et ce pour une période identique.

Mesurer le défi auquel se trouve confronté le gouvernement de gauche, demande la prise en compte de deux autres données conjoncturelles importantes. En 2002, l'économie uruguayenne, à la fois fragile, peu diversifiée, ouverte et dépendante de ses deux grands voisins, ne résiste pas à la débâcle argentine [32]. Le chômage touche alors 16,5 % de la population active et la pauvreté environ un Uruguayen sur trois. La crise est perçue comme le dernier signe annonçant la mort du pays jadis surnommé « la Suisse d'Amérique ». Économiquement parlant, l'Uruguay offre au monde pratiquement autant que cent ans auparavant : des produits de la terre de peu de valeur ajoutée. Or, les bases économiques de l'Uruguay batlliste s'érodent depuis 1950. La crise de 2002 n'est donc pas perçue par les Uruguayens comme le résultat d'une conjoncture internationale difficile, mais comme la phase finale d'un modèle de développement moribond. Le Frente Amplio hérite ainsi d'une situation économique difficile, contenant des limites importantes à son développement. Sans pétrole et sans ressources hydrologiques suffisantes, l'Uruguay est totalement dépendant en matière d'énergie, à la différence de l'Argentine et du Brésil, tous deux exportateurs d'énergie. Quant aux secteurs où son économie est naturellement forte, comme l'industrie laitière, l'Uruguay se heurte à la concurrence de ses grands associés du Mercosur.

Le nouveau gouvernement ne présente pas un projet qui rompt avec le passé, mais il identifie clairement quelques-uns des dilemmes propres au développement national. En matière énergétique, par exemple, il tente d'étendre les alternatives hydroélectriques, éoliennes et solaires, de même qu'il lance la production de biocarburants – marginaux, mais qui devraient lui permettre de parier sur l'extension des nouvelles technologies. Dans ce sens, près de la ville de Bella Unión au nord du pays, l'entreprise publique de combustibles Ancap construit une usine de production d'éthanol ; le pays cherche un accord d'investissement et de coopération technique avec le Brésil

31. Avec 200 millions de dollars, l'investissement de Botnia a représenté 25 % du total de l'investissement étranger en 2005 ; en 2006, l'investissement atteint 500 millions de dollars, c'est-à-dire 35 % du capital étranger investi en Uruguay. La construction de l'usine généra près de 8 000 postes de travail dans la ville de Fray Bentos (23 000 habitants). Chiffres du ministère de l'Économie de l'Uruguay.

32. Entre 1998 et 2002, l'Argentine vit une récession qui divise son PIB par deux et met le pays au bord du gouffre. En 2002, l'Argentine dévalue sa monnaie de 300 % provoquant une déstabilisation des échanges entre les pays du Mercosur et obligeant l'Uruguay à suivre à son tour avec une dévaluation du peso.

et les États-Unis pour le développement de biodiesel et d'éthanol. Dans la même idée, il tente de réactiver ses installations industrielles inutilisées, comme celles de l'industrie automobile et de promouvoir un tissu de petites entreprises lui permettant de mieux défendre son marché intérieur face aux industries argentines et brésiliennes. Le gouvernement de Tabaré Vázquez résume l'ensemble des enjeux économiques autour d'une seule question. Comment attirer des investissements et parvenir à une insertion internationale plus différenciée, permettant à l'Uruguay de mieux protéger son économie des fréquentes turbulences provoquées par son alliance régionale avec les deux grands de l'Amérique du Sud ?

À la différence de ses prédécesseurs, Tabaré Vázquez alimente le sentiment que la relation avec l'Argentine et le Brésil demeure ambivalente, et même clairement dangereuse. Le gouvernement définit le Mercosur comme un problème immédiat et majeur. À son arrivée au pouvoir, l'Uruguay affiche un déficit commercial gigantesque, et essentiellement avec l'Argentine et avec le Brésil. Le libre commerce avec les deux poids lourds de la région entraîne une perte de plus d'un milliard de dollars par an pour le plus petit pays du continent. Le fait que la gauche gouverne dans les trois pays n'a pas facilité la situation. Trop préoccupés par les effets de la concurrence mutuelle économique et par les crises qui touchent leurs propres sociétés, l'Argentine et le Brésil se sont montrés incapables d'entendre les besoins de leurs associés les plus petits (le Paraguay et l'Uruguay) et d'impulser une véritable stratégie d'intégration. La gauche uruguayenne justifie ainsi son action sur la base d'un sentiment national. Sur le plan économique, le pays essaie de tirer profit de certains aspects de la conjoncture du commerce international. Le Brésil cesse d'être la principale destination des exportations uruguayennes au profit des États-Unis, et la Chine se présente comme une destination importante pour la viande et les céréales [33]. Mais le maintien de cet avantage ne dépend que d'une conjoncture (vers la fin 2007, on observe déjà un déclin de la place des États-Unis comme principal client de l'Uruguay, et la récession de 2008 redistribue évidemment les cartes).

Le gouvernement présente cependant l'ouverture vers les États-Unis comme une nécessité pour faire contrepoids à la situation défavorable du pays par rapport à ses partenaires du Mercosur. Préconisée par le ministre de l'Économie, Danilo Astori, et très soutenue par le président Vázquez, cette stratégie ne fait pas l'unanimité au sein du Frente Amplio. Les tupamaros, les communistes, une bonne partie des socialistes (notamment le secteur du ministre des Affaires étrangères, Reinaldo Gargano) et la plupart des mouvements sociaux (dont la centrale syndicale) s'opposent à une relation privilégiée avec les États-Unis. Lors de la réception de la délégation nord-américaine par le gouvernement, au mois de mars 2007, une immense manifestation dénonçant la présence du « criminel » et « impérialiste »

33. La part des exportations vers le Brésil est descendue à 13,6 % en 2005 pour remonter à 21 % en 2006. Première destination des exportations uruguayenne, la part des États-Unis, en hausse constante, atteint 22,5 %.

Bush est organisée par la centrale syndicale et par de nombreux partis du Frente Amplio. En 2006 déjà, le président et son ministre de l'Économie ont dû faire machine arrière concernant la signature d'un traité de libre échange, lequel aurait signifié une rupture automatique avec le Mercosur. Le gouvernement rectifie néanmoins en 2007 avec la signature d'un autre traité, dit « d'investissements privilégiés », avec les États-Unis.

Enfin, il faut revenir sur le conflit déclenché par la promotion en Uruguay d'une industrie du papier [34]. L'installation des usines de pâte à papier à Fray Bentos provoque une très forte opposition dans la population de la ville argentine de Gualeguaychú, située à quelque 30 kilomètres, sur la rive droite du fleuve. Les riverains argentins craignent l'impact négatif du projet sur l'environnement, ses conséquences directes sur l'économie de leur ville, principalement touristique. En réaction à la mise en fonction des usines, les habitants de Gualeguaychú décident de fermer les ponts frontaliers entre les deux pays. Le gouvernement de Nestor Kirchner dépose immédiatement une plainte auprès du tribunal international de La Haye accusant l'Uruguay de non-respect du « traité du fleuve Uruguay », signé en 1974. Les Uruguayens répliquent en dénonçant le blocus des ponts frontaliers qui, effectivement, nuit à l'économie du pays, notamment au tourisme estival ; ils arguent que ces usines sont « modernes » et donc « non polluantes ». La situation de blocage fait ressortir l'impuissance des gouvernements à résoudre le conflit. Les Argentins poursuivent leur action et cherchent à provoquer l'abandon du projet uruguayen. Ils obtiennent que le papetier Ence modifie son projet initial et déplace son usine vers le sud du fleuve, à 30 kilomètres de la ville de Colonia. Côté uruguayen, on défend ardemment le projet, lequel continue à avancer, surtout à partir de la mise en fonctionnement de l'usine de Botnia fin 2007 ; trois autres usines de pâte à papier, de capital suédois, doivent également s'installer, loin du fleuve Uruguay sur les marges du Rio Negro. Le gouvernement et la presse dénoncent la contestation argentine, y voyant une ingérence emplie d'arrogance face à la seule tentative d'investissement industriel de taille sur le territoire uruguayen depuis des décennies [35].

34. Sur le conflit entre l'Argentine et l'Uruguay autour de l'implantation des usines de pâte à papier, voir J. C. Garavaglia et D. Merklen, *El conflicto de las papeleras entre Uruguay y Argentina*, *op. cit.*

35. Pour comprendre le sentiment nationaliste qui anime la rive gauche de l'Uruguay, nous devons préciser que l'Argentine ne connaît pas une tradition de protection de l'environnement, et que les fleuves argentins (surtout à proximité de Buenos Aires) souffrent d'une dégradation due à la présence d'industries hautement polluantes (papier, cuir et nucléaires) ainsi qu'au non-traitement des eaux usées dans le tissu urbain. Connue en Uruguay, cette situation conduit la presse uruguayenne à dire que ces préoccupations « écologiques » ne servent qu'à camoufler une défense des intérêts économiques de l'Argentine. Le dépôt d'une plainte par l'Argentine auprès du tribunal international de La Haye a constitué un fait politique très significatif dans la relation entre les deux pays et a miné les relations entre les deux gouvernements de gauche. L'Argentine n'avait jamais utilisé ce recours, même lors de son conflit avec la Grande-Bretagne concernant les îles Malouines ou dans le cadre des différends limitrophes avec le Chili, qui ont mené ces deux pays au bord de la guerre en 1980.

Le conflit entre les deux rives du fleuve Uruguay met en évidence l'incapacité des gouvernements argentin et brésilien à former un véritable bloc régional au sud des Amériques. Une lecture conjoncturelle de la situation donne le sentiment que les gouvernements de gauche souffrent de ce qu'on pourrait appeler un « déficit de diplomatie », trop occupés à mobiliser leurs électorats respectifs. Les gauches latino-américaines se montrent incapables de s'entendre sur une division régionale du travail. Dans le cas de l'Uruguay, le gouvernement du Frente Amplio parie dangereusement sur une intransigeance qui peut s'avérer problématique face à un éventuel échec de sa stratégie d'investissements autour de l'industrie du papier. La faiblesse d'un gouvernement et d'un pays manquant de marge de manœuvre face à toute offre d'investissement y est patente. L'industrialisation consécutive à l'installation des usines de pâte à papier s'interprète comme le passage d'une situation de dépendance commerciale à une situation d'autonomie croissante. Face à la « dépendance », les gauches latino-américaines trouvent dans le nationalisme industriel un de leurs thèmes de mobilisation de prédilection. Les crises du modèle néolibéral des années 2000 suscitent une forte résurgence de ce thème [36]. Pour la gauche uruguayenne, l'industrie du papier s'inscrit dans le concept du « développement » et du « pays productif ». Jusqu'alors, l'Uruguay exportait des troncs d'arbre, sans aucune valeur ajoutée, avec une main-d'œuvre minime pour un coût important en infrastructures (transport du bois). Contenir une partie du processus d'industrialisation du bois sur le territoire national constitue un enjeu clé pour un pays qui peut difficilement faire état de grands avantages comparativement à l'Argentine ou au Brésil.

Le gouvernement uruguayen redoute les répercussions du conflit avec l'Argentine. L'Uruguay projette de devenir une « porte de sortie » pour les exportations de la plus riche région du Mercosur, réunissant le sud brésilien et la pampa argentine autour du bassin du Rio de la Plata. Il a déjà investi dans des infrastructures routières, la construction de deux ports (dont l'un à proximité des usines à papier) et l'élargissement de celui de Montevideo. En conséquence le gouvernement de Tabaré Vázquez insiste pour que le Mercosur oblige l'Argentine à libérer les communications fluviales.

CONCLUSION

Tous les indicateurs sociaux et économiques témoignent d'une réussite du gouvernement uruguayen, trois ans après l'arrivée de la gauche au pouvoir. La croissance économique est de 10 % du PIB en 2005, de 6 % en 2006, de 7,4 % en 2007 et de 13,2 % en 2008 ; la croissance industrielle

36. François Graña a travaillé sur l'idéologie « développementiste » de la gauche uruguayenne à partir du cas des usines à papier : « Botnia, actores sociales y gobernanza », dans V. Palermo et C. Reboratti, *Del otro lado del río. Ambientalismo y política entre uruguayos y argentinos*, Editorial Edhasa, Buenos Aires, 2007.

s'avère supérieure à 10 % par an sur la même période (19,3 % en 2008) [37]. Le chômage recule fortement, passant de 16 % en 2004 à 7 % en 2008. Mais cette évolution reste tributaire des exportations d'aliments et un changement de conjoncture mettrait l'économie en difficulté. Que fait le gouvernement de cette circonstance favorable ? La première décision est de profiter de la croissance pour se débarrasser de la tutelle des organismes internationaux de crédit. À l'instar de l'Argentine et du Brésil, l'État uruguayen solde sa dette auprès de la Banque mondiale et du FMI, acte vécu comme un gain incontestable de souveraineté économique. Sur le plan social, le gouvernement a agi essentiellement à deux niveaux : en portant attention à « l'urgence sociale », avec la création d'un « revenu citoyen » (30 € par mois) destiné aux 200 000 familles en situation d'indigence, et en pariant sur le travail comme principal mécanisme d'intégration sociale. Par le biais du ministère du Travail, le gouvernement réunit (pour la première fois depuis 1973 où la dictature les avait proscrits) les « conseils de salaires », ré-institutionnalisant ainsi les négociations paritaires entre syndicats de patrons et de travailleurs. Ce rétablissement des mécanismes de régulation sociale se traduit par une importante augmentation du salaire réel (près de 30 % en deux ans) et, plus important, par une constante réduction du travail au noir.

Le gouvernement instaure également un style de gouvernance privilégiant proximité et transparence. Ainsi le président de la République rend publics les Conseils de ministres, se tenant désormais dans les différentes villes du pays. Et, lorsque fin 2006 une affaire de corruption éclate impliquant un législateur (le sénateur Nicolini du MPP-FA), son parti le contraint, en quelques jours, à démissionner et se livrer à la justice.

Le gouvernement du Frente Amplio n'est pas exempt de conflits et de tensions au sein de la coalition. En novembre 2008, le Parlement vote une loi dite de *salud reproductiva* (« santé reproductive ») incluant un article controversé autorisant l'avortement. Pour la gauche, cette loi est à la fois un progrès pour la condition de la femme et une forme de « justice sociale », les femmes de condition modeste étant les principales victimes des pratiques d'avortements clandestins. Le pays renoue avec la tradition batlliste de lois sur la condition de la femme, le prédisposant à devenir le premier pays du continent à dépénaliser l'interruption volontaire de grossesse. Or, le président Tabaré Vázquez, invoquant des convictions personnelles, fait usage de son veto et abroge la loi, se dressant contre l'ensemble des forces du Frente Amplio. Quelques jours plus tard, il envoie une lettre de démission à son propre parti, le parti socialiste, et assume le désaveu de son camp.

---

37. Données de la Banque centrale de l'Uruguay. Elles sont estimées pour 2008. En décembre 2008, CEPAL-ONU a estimé une croissance de 11,5 % pour le PIB 2008 de l'Uruguay, le situant en tête des économies latino-américaines.

Mais l'action la plus notoire du gouvernement s'inscrit dans la lutte contre l'impunité des militaires. Malgré la loi réduisant ses marges de manœuvre [38], le gouvernement et la Justice avance notablement dans l'investigation des crimes commis par la dictature et permettent aussi l'extradition de quelques militaires réclamés par l'Argentine et le Chili. Les crimes de la dictature sont directement jugés par la justice, les militaires ne bénéficiant plus de la protection de l'État. L'événement le plus marquant à cet égard demeure l'arrestation de l'ex-président José María Bordaberry. Il est non seulement l'acteur direct du coup d'État et le responsable de crimes atroces commis par les militaires, mais il appartient également à l'une des familles les plus éminentes du parti colorado. Député, sénateur, ministre, puis président et dictateur, Bordaberry s'avère un grand propriétaire terrien et de fait, un acteur important de la Société rurale, la corporation des propriétaires terriens. Cette politique de libération des capacités d'action de la justice aura sans doute un impact majeur dans le processus de consolidation de la démocratie uruguayenne.

À travers ces jugements, le long chemin parcouru par une génération de jeunes, décidés dans les années 1960 à prendre leur destin en mains, devient manifeste. Les jeunes militants, les « terroristes » et les « subversifs » sont, trente ans après, ministres, secrétaires d'État, législateurs, maires. C'est le cas de tous les membres du gouvernement que cités ici, et également de Ricardo Ehrlich, tupamaro et biologiste, prisonnier politique exilé en France, chercheur au CNRS dans les laboratoires de Gif-sur-Yvette, revenu au pays en tant que doyen de la faculté des sciences, avant de devenir maire de Montevideo lors des élections de 2005. L'arrivée de la gauche uruguayenne au pouvoir peut aussi se lire comme l'histoire d'une génération qui critique et rénove les anciennes classes dirigeantes incapables de sortir le pays de « la panne », selon le titre du beau tableau de Joaquín Torres García, dans laquelle il sombre dès 1958. Ceux qui ont généré le Frente Amplio intègrent maintenant les nouvelles élites du pays et le gouvernent. Le jeu est alors ouvert.

---

38. La loi dite de « caducité de la prétention punitive de l'État » votée en 1987 puis ratifiée par référendum en 1989 avec 52 % des voix, contraint l'État à renoncer à « punir » une bonne partie des crimes (comme la torture, la prison ou l'exil), mais lui laisse la possibilité de juger certains crimes comme le vol d'enfant ou la disparition de personne.

Résumés

Populisme et démocratie en Amérique latine. Notes et réflexions

Le populisme a été une des thématiques de prédilection des sciences sociales latino-américaines, aussi dispose-t-on d'un important corpus de réflexions (Germani, Torcuato S. di Tella, Ianni et Laclau) sur ces expériences politiques des années 1930 aux années 1960. Plus qu'une idéologie portée par un groupe social, le populisme a été une culture politique qui a marqué l'ensemble des pays latino-américains et plus spécifiquement, et ce de façon très durable, l'Argentine et le Mexique. Et l'on assiste aujourd'hui à la remise à l'honneur de cette culture politique, bien évidemment au Mexique et en Argentine mais aussi au Venezuela, en Bolivie, en Équateur et au Nicaragua. La remise à l'honneur de cette culture politique marque moins un « virage à gauche » de l'Amérique latine que la fragilité de schèmes démocratiques, la persistance de désarticulations sociales accentuées par les effets de la mondialisation.

Roger BARTRA

De la Révolution bolivarienne au socialisme du XXIe siècle. Héritage prétorien et populisme au Venezuela

Cet essai tente de dépasser la dichotomie autoritarisme/démocratie en reconsidérant d'une part les définitions du populisme dans ses acceptions latino-américaines et vénézuélienne, et en insistant d'autre part sur un les recompositions internes au système politique vénézuélien. Il souligne le rôle continental joué par la Révolution bolivarienne de Hugo Chávez et l'émergence de ce que l'on peut considérer comme un néo-populisme pragmatique et revendicatif, qui s'appuie, se différenciant en cela du paradigme populiste classique, sur deux éléments-clefs de la géopolitique régionale – les forces armées et le pétrole – et vise à l'instauration d'un « socialisme du XXIe siècle » dans un pays caractérisé par une forte tradition présidentialiste et un « personnalisme » récurrent.

Frédérique LANGUE

Battre campagne avec le « président légitime » du Mexique. Carnet de terrain

À travers une chronique de terrain, l'auteur décrit un répertoire d'action spécifique et original mis en place par le mouvement post-électoral de 2006 après la contestation des résultats de l'élection présidentielle par le candidat de la coalition de gauche, Andrès Manuel López Obrador: la constitution d'un gouvernement fantôme. Plus précisément, cet article s'attache à décrire l'une des activités de ce « gouvernement légitime » à travers une analyse ethnographique de la tournée nationale du « président légitime », municipalité par municipalité. À travers l'analyse de ce répertoire, il s'agit de comprendre les logiques de concurrence entre le leadership de López Obrador et le Parti de la révolution démocratique dont il est issu.

Hélène COMBES

Désarticulation du système politique argentin et kirchnerisme

Après la grande crise institutionnelle de 2001, le système politique argentin a été profondément bouleversé. Lors des élections présidentielles de 2003, Nestor Kirchner a fait part de son souhait de changer les pratiques du vieux péronisme, et une fois installé au gouvernement, a cherché à satisfaire les exigences économiques de tous les secteurs sociaux. Les discours idéologiques des kirchneristes ont mêlé des idées progressistes, particulièrement la défense des droits de l'homme, à celles de tradition péroniste. Mais, si dans un premier temps la situation de précarité et d'incertitude a permis la coexistence d'attentes matérielles et symboliques très variées, l'harmonie initiale s'est par la suite détériorée. Dès la fin 2007, les faits ont montré le déclin de la coalition politique *sui generis* dirigée de façon personnelle par Kirchner. La course aux postes politiques qui avantageait les péronistes traditionnels a largement déçu ceux qui attendaient le plus des promesses progressistes. De moins en moins capable d'apporter des réponses positives aux exigences sociales qu'ils avaient objectivement stimulées, les dirigeants kirchneristes ont alors souffert de ce qui leur était jadis favorable : le fait de ne pas constituer une force politique organisée. De plus, la désarticulation du système politique et la peur du chaos économique dont ils avaient bénéficié auparavant, rendaient difficile la gestion des conflits politiques et sociaux. Le gouvernement s'est dès lors retrouvé face à de nouvelles exigences de la société. Au début de l'année 2008, les protestations des entrepreneurs ruraux ont révélé non seulement leur pouvoir de contestation de la politique économique nationale, mais furent également à l'origine d'un grand malaise chez de vastes secteurs de la population. C'est alors qu'a débuté l'étape actuellement en cours, caractérisée par l'apparition de multiples courants qui remettent en question la légitimité du kirchnerisme.

Ricardo SIDICARO

Le « pouvoir citoyen » d'Ortega au Nicaragua, démocratie participative ou populisme autoritaire ?

Élu par une minorité – 38 % des votants – en vertu d'un pacte politique destiné à favoriser sa propre candidature et à organiser le partage de l'appareil d'État entre deux partis politiques, Daniel Ortega commence son quinquennat par une tentative de refonte complète des pouvoirs publics nicaraguayens. Sa priorité était de s'affranchir de l'interdiction constitutionnelle de réélection d'un président sortant. Mais son partenaire, Arnoldo Aleman, ancien président condamné à 20 ans de prison pour corruption, n'a pas réussi à rallier son Parti libéral constitutionnaliste à l'idée de cette réforme. Ortega a choisi d'attendre et de consolider d'abord ses Comités du pouvoir citoyen (CPC), organisation partisane essentielle pour son projet de se perpétuer au pouvoir. L'atout majeur de ces comités de quartier modernisés – et convertis de facto par le président en organe para-étatique – est la coopération financière versée par Hugo Chavez directement à Ortega en dehors de tout contrôle institutionnel nicaraguayen. Ce pouvoir discrétionnaire sur des centaines de millions de dollars annuels est un avantage électoral qui pourrait s'avérer décisif dans un pays où une forte proportion de la population vit dans la misère. L'emprise de l'exécutif sur les autres pouvoirs de l'État et la répression croissante complètent le dispositif.

Carlos F. CHAMORRO

Le vote de la Constitution bolivienne

Le texte de la nouvelle Constitution bolivienne a été approuvé le 25 janvier dernier par 61,4 % des voix. Il consacre l'existence d'un État plurinational accordant des droits spécifiques aux indigènes et une orientation économique étatique. L'analyse du scrutin confirme l'opposition entre les départements occidentaux du pays (La Paz,

Oruro, Potosi) qui lui sont amplement favorables, et les départements orientaux majoritairement défavorables (Pando, Beni, Santa Cruz, Tarija). Le oui rencontre aussi un terrain propice dans les campagnes, parmi les indigènes, et dans les zones de plus grande pauvreté. Ces différentes coupures, qui s'ajustent plus ou moins, présagent de fortes tensions lors des changements institutionnels à venir, d'autant que ce vote favorable a été acquis au moyen de pressions et de fraudes.

Jean-Pierre LAVAUD

La rive gauche de l'Uruguay. De l'arrivée du Frente Amplio au pouvoir et des difficultés de son gouvernement (2005-2009)

L'arrivée de la gauche au pouvoir transforma profondément l'Uruguay. Le système de deux partis traditionnels (blancos et colorados) est mort. Mais ce n'est peut-être pas là l'essentiel. Une génération formée depuis les années 1960 au sein de la gauche (des Tupamaros aux « progressistes » en passant par les socialistes et les communistes) est maintenant en position de gouverner. C'est un changement majeur qui met fin aux rêves de révolution. Trois questions sont explorées. Dans une première partie, on essaie de rendre compte de cette *émotion* politique qui met fin à un projet générationnel. Cette conjoncture s'ouvrira-t-elle sur un nouveau rêve politique ? Nous explorons ensuite les caractéristiques de cette gauche réunie autour du Front élargi (Frente amplio). Il s'agit ici de donner quelques éléments pour comprendre l'évolution du système politique uruguayen. Enfin, nous essayons de faire un bref bilan du gouvernement de Tabaré Vázquez, confronté à la lourde tâche de sortir ce pays de 3,2 millions d'habitants de la pire crise de son histoire.

Octavio CORREA et Denis MERKLEN

Resúmenes

Populismo y democracia en América Latina

El populismo ha sido uno de los temas predilectos de las ciencias sociales latinoamericanas. Así se explica el cúmulo considerable de reflexiones (Germani, Torcuato S. de Tella, Ianni et Laclau) acerca de las experiencias populistas de los años treinta a sesenta. Más que una ideología enarbolada por un grupo social, el populismo ha sido en América Latina una cultura política cuya huella perdura en la región, con especial vigor en Argentina y México. El actual retorno de esta cultura política se observa obviamente en estos dos países, pero también en Venezuela y Bolivia o en Ecuador y Nicaragua. Y este renacer no es en mayor medida la expresión de un « giro a la izquierda », en el se manifiestan ante todo la flaqueza de las concepciones democráticas y la persistencia de desarticulaciones sociales agravadas por los efectos de la globalización.

Roger BARTRA

Desde la revolución bolivariana hasta el socialismo del siglo XXI. Patrimonio pretoriano y populismo en Venezuela

Este ensayo intenta cuestionar la dicotomía entre autoritarismo y democracia reconsiderando las definiciones del populismo en sus vertientes latinoamericanas y venezolana e insistiendo también en las recomposiciones internas al sistema político venezolano. Insiste en el papel continental que desempeña la Revolución bolivariana de Hugo Chávez y en el surgir de una suerte de neopopulismo pragmático y reivindicativo. Este se apoya, a diferencia del paradigma del populismo clásico, en dos elementos claves de la geopolítica regional – las fuerzas armadas y el petróleo – apuntando hacia un « socialismo del siglo XXI » que tiende a confortar la fuerte tradición presidencialista así como el fuerte y recurrente personalismo nacional.

Frédérique LANGUE

De gira con el « presidente legítimo »

La autora analiza en este artículo el repertorio de acción específico y original puesto en marcha por el movimiento pos-electoral del 2006 después del rechazo de los resultados de la elección presidencial por el candidato de la Coalición por el bien de todos, Andrès Manuel López Obrador: la creación de un gabinete fantasma. De manera más especifica, haciendo una crónica de campo, este articulo describe de manera etnográfica una de la actividades del « gobierno legitimo »: una gira nacional, municipio por municipio. El análisis de este repertorio permite entender las lógicas de competencia entre el liderazgo de López Obrador y el Partido de la revolución democrática, partido del cual fue el presidente.

Hélène COMBES

La desarticulación política argentina y el kirchnerismo

Luego de la gran crisis institucional de 2001, el sistema político argentino quedó fuertemente desarticulado. En las elecciones presidenciales de 2003 Néstor Kirchner anunció la decisión de cambiar las maneras de acción del viejo peronismo y desde el gobierno, buscó satisfacer exigencias económicas de todos los sectores sociales: empresarios, asalariados, desocupados y clases medias. Los discursos ideológicos de los kirchneristas mezclaron ideas progresistas, y en especial la defensa de los derechos humanos, con otras de la tradición peronista. Si en un primer momento la situación de precariedad y de incertidumbre permitió la coexistencia de expectativas materiales y simbólicas muy distintas, luego la armonía inicial se deterioró. Desde fines de 2007, los hechos mostraron la declinación de la coalición política *sui generis* dirigida de manera personal por Néstor Kirchner. La competencia por los puestos políticos que favorecía a los peronistas tradicionales decepcionaba a quienes tenían más expectativas en las promesas progresistas. Con menos capacidad de dar respuestas positivas a los reclamos materiales y simbólicos que objetivamente había estimulado, los dirigentes kirchneristas se encontraron con que las ventajas iniciales de no contar con una fuerza política organizada se volvía contra ellos. Además, la desarticulación del sistema político que en una primera etapa había beneficiado a los kirchneristas era una situación que hacía menos gobernables los conflictos políticos y sociales. Luego de haberse beneficiado con la desarticulación política y con los temores a la vuelta al caos económico, el gobierno comenzó encontrarse ante nuevas exigencias de la sociedad. A principios de 2008, las protestas de los empresarios rurales no sólo mostraron su poder de contestación a la política económica nacional, sino que, además, crearon un gran malestar en amplios sectores de la población. Se abrió entonces la etapa actualmente en curso, caracterizada entre otros aspectos por la aparición de múltiples corrientes que cuestionan la legitimidad del kirchnerismo.

Ricardo SIDICARO

El « poder ciudadano » de Ortega en Nicaragua: ¿participación democrática, o populismo autoritario?

Electo por una minoría – 38% de votos – en virtud de un pacto político destinado a favorecer su propia candidatura y a organizar el reparto del aparato de Estado entre dos partidos políticos, Daniel Ortega comienza su quinquenio tratando de reformar a fondo la estructura de los poderes del Estado nicaragüense. Su prioridad era revocar la prohibición constitucional de reelegirse; pero su socio en el pacto, Arnoldo Aleman, ex presidente condenado a 20 años de cárcel por corrupción, no logró la adhesión completa de su *Partido Liberal Constitucionalista* a este nuevo arreglo. Ortega optó por esperar y se dedicó a consolidar los *Comités del Poder Ciudadano* (CPC), organización partidista esencial para sus planes de perpetuarse en el poder. La fuerza de esos comités de barrio modernizados, que el presidente ha convertido de facto en órgano paraestatal, proviene de la cooperación financiera que Hugo Chávez entrega directamente a Ortega fuera de todo control institucional nicaragüense. Manejar a discreción centenares de millones de dólares anuales es una ventaja electoral que puede resultar decisiva en un país donde una gran parte de la población vive en la miseria. El peso del ejecutivo en los otros poderes del Estado y el aumento de la represión completan el dispositivo.

Carlos F. CHAMORRO

El voto de la Constitución Boliviana

El texto de la nueva Constitución boliviana ha sido aprobado el 25 de enero pasado, por el 61,4 % de los votos. Consagra la existencia de un Estado plurinacional, estableciendo derechos específicos a los pueblos indígenas y una orientación económica estatal. El análisis de los escrutinios confirma la oposición entre los departamentos occidentales mayoritariamente desfavorables (Pando, Beni, Santa Cruz, Tarija). El Si encuentra por su parte, un terreno propicio en sectores rurales, entre los indígenas y en las zonas de mayor pobreza. Estos distintos cortes, que se ajustan más o menos, presagian fuertes tensiones frente a los cambios institucionales futuros, visto que el voto favorable ha sido obtenido por medio de presiones y fraudes.

Jean-Pierre LAVAUD

La margen izquierda del Uruguay

La llegada de la izquierda al poder ha transformado profundamente el Uruguay. El sistema bipartidista (blancos y colorados) ha muerto. Pero tal vez lo esencial no se encuentre allí. Una generación formada desde los años sesenta en el seno de la izquierda (desde los Tupamaros a las corrientes « progresistas », pasando por socialistas y comunistas) se encuentra ahora en posición de gobernar. Se trata de un cambio mayor que pone fin a largos sueños revolucionarios. Se exploran tres cuestiones principales. En la primera parte tratamos de dar cuenta de esa *emoción* política que pone fin a un proyecto generacional. ¿Se abrirá esta coyuntura hacia un nuevo sueño político? Exploraremos luego las características de esa izquierda reunida en torno al Frente Amplio. Se trata aquí de brindar algunos elementos que vuelvan inteligible la evolución del sistema político uruguayo. Por último, intentaremos presentar un breve balance del gobierno de Tabaré Vázquez que se vio enfrentado a la pesada tarea de sacar a ese país de 3,2 millones de habitantes de la peor crisis de su historia.

Octavio CORREA y Denis MERKLEN

Abstracts

Populism and Democracy in Latin America. Notes and Thoughts

Populism has been a popular theme of Latin American social sciences. There is a large body of thought (Germani, Torcuato S. di Tella, Ianni and Laclau) on the political experiences from the 1930's-1960's. It was more than an ideology for one social group. Populism was a political culture that left its mark on the ensemble of Latin American countries, but more specifically, and in a very lasting way, Argentina and Mexico. Today, the "remise a l'honneur" of this political culture that we are witnessing signals less Latin America's "turning toward the left" and more the fragility of the democratic schema – the persistence of social disarticulation that is accentuated by the effects of globalization.

Roger BARTRA

From the Bolivarian Revolution to the XXIst century socialism. Praetorian legacy and populism in Venezuela

This article tries to overcome the opposition between authoritarism and democracy by reconsidering, on te one hand, the definitions of populism as it is understood in Latin America and Venezuela, and by insisting on the other hand on the intern recompositions of the political venezuelian system. It underlines on the continental role played by the Bolivarian Revolution led by Hugo Chavez, and the rise of what could be called a claiming and pragmatic neopopulism, which relies on two key elements of the area geopolitics – army forces and petroleum –, therefore distinguing itself from the classic neopopulism paradigm; it also aims the establishment of a "XXIst century socialism" in a country characterized by a strong presidentialism tradition and a recurent personalism.

Frédérique LANGUE

Campaigning with the «légitimate President». Touring Mexico with Manuel Lopez Obrador

In this article, the author shows how a peculiar repertoire of political action was designed by the 2006 "post-electoral movement" that emerged following the refusal of the left-wing presidential candidate, Manuel Lopes Obrador, to acknowledge the official results of the election. This repertoire entailed the setting up of a "shadow government" (called "the legitimate one" by its members). Through a detailed ethnographic analysis of one of the national touring of the "legitimate President", that led him from one "municipio" to the other in a seemingly endless political journey, the author tries to decipher the sharp rivalry that now sets up Lopez Obrador's personal leadership against the institutional machinery of his own party – the Democratic Revolution Party.

Hélène COMBES

Dislocation of the Argentinean political system and Kirchnerismo

After the great institutional crisis of 2001, the political Argentinean system remained strongly dismantled. In the presidential elections of 2003, Néstor Kirchner announced the decision to change the practices of the old Peronism and from the government, sought to satisfy economic requirements of all the social sectors: businessmen, workers, unemployed persons and middle classes. The ideological speeches of the kirchneristas mixed progressive ideas, and especially the defense of human rights, with other ideas linked to traditional peronism. Even though, in a fist stage, the situation of precariousness and of uncertainty allowed the coexistence of very diverse material and symbolic expectations, the initial harmony then deteriorated. Since the end of 2007, the facts showed the decline of the political coalition *sui generis* personally led by Néstor Kirchner. The competition for the political positions that was favorable to the traditional Peronists was disappointing to those that had the highest expectations in the progressive promises. With less aptitude to give positive answers to the material and symbolic claims that they had objectively stimulated, the kirchneristas leaders realized that the initial advantages of not constituting an organized political force was turning against them. Besides, the breaking up of the political system and the fear of economic chaos, which had benefitted to the kirchneristas in the past, was making more and more difficult the control and the negotiation of the political and social conflicts. The government was then facing new claims from the society. At the beginning of 2008, the protests of the rural entrepreneurs not only showed their capacity to question the national economic policy, but, besides, created a great discomfort in wide sectors of the population. It is then when the current stage started, mainly characterized by the emergence of multiple trends questioning the legitimacy of the kirchnerismo.

Ricardo SIDICARO

ORTEGA'S "CITIZEN POWER" IN NICARAGUA: DEMOCRACIA PARTICIPATIVA O POPULISMO AUTORITARIO?

After being elected by a minority (38% of voters) by virtue of a political pact intended to favor his own candidacy and to organize the division of the state apparatus between two political parties, Daniel Ortega began his five-year term with an attempt at completely overhauling the Nicaraguan public power. His first priority was to break free from the constitutional prohibition on re-election of outgoing presidents. However, his partner, Arnaldo Aleman, the former president who was sentenced to twenty years in prison for corruption, was not able to rally his Liberal Constitutional Party around the idea of this reform. Ortega chose to wait and to first consolidate his partisan organizations, "Committees of Civic Power," which were essential in order for his project to perpetuate its power. The biggest advantage of these modernized neighborhood associations, which the president converted in de facto parastatal organs, is the financial control that Hugo Chavez paid directly to Ortega free from any Nicaraguan institutional control. This discretionary control over hundreds of millions of dollars a year is an electoral advantage that could prove decisive in country where a large proportion of the population lives in misery. The executive's stranglehold on the other powers of the state and growing repression complete the plan.

Carlos F. CHAMORRO

THE VOTES OF THE BOLIVIAN CONSTITUTION

The new Bolivian constitution was approved on January 25th, with 61.4% of votes. It implements a plurinational State, that grants specific rights to natives and sets an state economic orientation . The analysis of the ballot confirms the opposition between western counties of the country (La Paz, Oruro, Potosi) which are largely in favor of the constitution, and eastern counties (Pando, Beni, Santa Cruz, Tarija) that are opposed to it. The "Yes" is also more supported in the countryside, among the natives, and in the poorest areas of Bolivia. These different cleavages, more or less adjusted, let think that serious tensions will occur during the institutional changes to come, since the favorable vote was won by means of pressures and fraud.

Jean-Pierre LAVAUD

The Left Bank of Uruguay

The political victory of the left-wing coalition deeply transformed Uruguay. The former bipartisan system (blancos and colorados) disappeared. However, maybe the essential point is not there. A generation trained since the 1960s amongst the left (from the Tupumaros to the "progressive" trends, to socialists and communists) is now likely to govern. This is a major change that ends wide revolutionary dreams. Three questions are hereby analyzed. In a first part, we translate the "political emotion" that ends a whole generational project. Will this situation lead to a new political dream? Then, we will explore the main characteristics of this left gathered around the *Widened Front* (Frente Amplio). It will mainly consist in bringing elements that will help understand the evolution of the Uruguayan political system. Finally, we will try to introduce a short balance of the Tabaré Vázquez government, faced to the heavy task of lifting 3.2 million inhabitants out of the worst crisis the country has ever experienced.

Octavio CORREA and Denis MERKLEN

Problèmes d'Amérique latine

Bulletin d'abonnement
ou de
Réabonnement

M, Mme, Mlle ______________ Prénom ______________

Société/Institution ______________

N° ________ Rue ______________

Code postal ________ Ville ______________

Pays ______________

Adresse électronique ______________

	France	Autres pays
1 an (4 numéros)	75 €	85 €
2 ans (8 numéros)	140 €	160 €

Je souscris un abonnement pour ❑ 1 an ❑ 2 ans

À partir du numéro ________

Date ______________ Signature/Cachet

Paiement par chèque à l'ordre de
Problèmes d'Amérique latine
28, rue Étienne Marcel
75002 Paris

L'abonnement à **Problèmes d'Amérique latine** peut également être effectué par carte bancaire sur le site www.choiseul-editions.com

BULLETIN D'ABONNEMENT OU DE RÉABONNEMENT

Recommandations aux auteurs

Le comité de rédaction de la revue est ouvert à toute proposition d'article.

Les auteurs sont priés de respecter les lignes directrices suivantes quand ils préparent leurs manuscrits :

- Les articles ne doivent pas dépasser 40 000 signes (notes et espaces compris).
- Deux résumés, l'un en français, d'une quinzaine de lignes maximum et un autre, en anglais, de la même importance, doivent être fournis avec le manuscrit, accompagnés de la qualité et des dernières publications de l'auteur.
- Les auteurs feront parvenir leur article par Internet à l'adresse suivante : pal@choiseul-editions.com en format MS Word (.doc ou .rtf).
- Tous les tableaux, graphiques, diagrammes et cartes doivent porter un titre et être numérotés en conséquence. Toutes les figures doivent être transmises en fichiers séparés d'une résolution suffisante (idéal 300 dpi) et en niveaux de gris. Leurs emplacements doivent être clairement indiqués dans le texte.
- Préférer le plus souvent les notes de bas de page aux notes de fin et bibliographie finale.
- Une attention particulière devra être portée à la ponctuation : guillemets français, majuscules accentuées (État, À partir de, Égypte, etc.) et à un usage modéré des majuscules conformément aux règles typographiques.

Référence : Collectif, *Lexique des règles typographiques en usage à l'imprimerie nationale*, Imprimerie Nationale, Paris, 2002.

Modèles de références bibliographiques :

Jean-François Daguzan, « Le nucléaire iranien jusqu'au bout ? », *Géoéconomie*, N° 36, Hiver 2005-2006.

Alain Coldefy, « Géopolitique de la mer et actualité des conflits maritimes », dans Pascal Lorot et Jean Guellec (dir.), *Planète océane. L'essentiel de la mer*, Choiseul Éditions, Paris, 2006, pp. 269-280.

Pascal Lorot, *Le siècle de la Chine, Essai sur la nouvelle puissance chinoise*, Choiseul Éditions, Paris, 2007.

La rédaction s'engage à communiquer sa réponse dans les plus brefs délais. Par ailleurs, elle est susceptible de demander aux auteurs des modifications ou des précisions.

L'envoi d'une contribution implique l'acceptation par l'auteur des conditions de la publication, dans la revue et en ligne, des éditions Choiseul.

Problèmes d'Amérique latine
N° 71 – Janvier 2009

ISSN : 0765-1333
Numéro CPPAP : 0909K82678
ISBN : 978-2-916722-49-8

Groupe Corlet Imprimeur
ZI, route de vire
rue Maximilien-Vox
BP 86
14110 Condé-sur-Noireau

Les articles signés expriment la seule opinion de l'auteur et ne sauraient engager la responsabilité de la revue.